Dieser Band enthält – ~~~~~~~~~~ deutschem Parallel-
druck – zehn Erzählungen von Mark Twain (1835–1910)

– die behaglich zum besten gegebene Geschichte einer
sog. typisch amerikanischen Karriere
– den mit Anekdoten gewürzten Bericht vom freien
und stolzen Lotsenberuf
– eine interessante Plauderei über das Erzählen von
Geschichten, mit Beispielen
– eine ideale *humoristische* Geschichte von einem Kerl,
der besessen ist von der Lust, um alles und jedes eine
Wette abzuschließen
– eine Charakterskizze des Steppenwolfes, mit einer
fabelhaften Temposteigerung zum Schluß hin
– eine Winterszene, die schon beinahe nach Jack London
schmeckt, und dann kommt der Schritt vom Erhabenen
zum Lächerlichen
– eine Satire auf moraltriefende Jugendliteratur anhand
der Lebensgeschichte eines beklagenswerten kleinen
Tugendboldes
– ein Gottesdienst-Happening, das den amerikanischen
(und jeglichen sonstigen) aufwallenden «Gott-mit-uns»-
Patriotismus hinterfragt
– noch eine klassische humoristische Erzählung, ein
Hans-im-Glück-Motiv
– eine ernste, sehr zu Herzen gehende Geschichte von
einer unendlichen Liebe

es ist also ein Mark-Twain-Lesebuch, das viele Seiten
des amerikanischen Meister-Erzählers, mutigen Bürgers
und Menschenfreundes zum Vorschein bringt.

dtv zweisprachig · Edition Langewiesche-Brandt

Mark Twain

A Couple of Truly Wonderful Stories

Ein paar wirklich wunderbare Geschichten

Auswahl und Übersetzung von Hella Leicht
Illustrationen von Nataly Meenen

Deutscher Taschenbuch Verlag

Originalausgabe 1991
2. Auflage März 1993
© der Übersetzung und der Illustrationen
Deutscher Taschenbuch Verlag GmbH & Co. KG,
München.
Der deutschen Fassung Seite 7ff., 113ff. und 138ff.
liegt die Übersetzung von Brigitte Köster zugrunde.
Umschlaggestaltung: Celestino Piatti
Satz: FoCoTex Klaus Nowak, Berg bei Starnberg
Gesamtherstellung: Kösel, Kempten
ISBN 3-423-09278-5. Printed in Germany

The Joke that Made Ed's Fortune

Let us be thankful for the fools. But for them the rest of us could not succeed.
Pudd'nhead Wilson's New Calendar

A few years before the outbreak of the Civil War it began to appear that Memphis, Tennessee, was going to be a great tobacco *entrepôt* – the wise could see the signs of it. At that time Memphis had a wharfboat, of course. There was a paved sloping wharf, for the accommodation of freight, but the steamers landed on the outside of the wharfboat, and all loading and unloading was done across it, between steamer and shore. A number of wharfboat clerks were needed, and part of the time, every day, they were very busy, and part of the time tediously idle. They were boiling over with youth and spirits, and they had to make the intervals of idleness endurable in some way; and as a rule, they did it by contriving practical jokes and playing them upon each other.

The favorite butt for the jokes was Ed Jackson, because he played none himself, and was easy game for other people's – for he always believed whatever was told him.

One day he told the others his scheme for his holiday. He was not going fishing or hunting this time – no, he had thought out a better plan. Out of his forty dollars a month he had saved enough for his purpose, in an economical way, and he was going to have a look at New York.

It was a great and surprising idea. It meant travel – immense travel – in those days it meant seeing the world; it was the equivalent of a

Der Streich, der Ed Glück brachte

Laßt uns dankbar sein für die Toren. Ohne sie
könnten wir übrigen keinen Erfolg haben.
Pudd'nhead Wilson's New Calendar

Einige Jahre vor Ausbruch des Bürgerkrieges stellte es
sich heraus, daß Memphis im Staate Tennessee anfing,
ein großer Tabakumschlagplatz zu werden; wer einsich-
tig war, konnte die Anzeichen bemerken. Selbstverständlich besaß Memphis damals ein Verladeschiff. Es
gab zwar einen abschüssigen, gepflasterten Kai zum
Abstellen der Fracht, aber die Dampfer legten an der
Außenseite des Verladeschiffes an, und jegliches La-
den und Löschen zwischen Dampfer und Ufer wurde
über dessen Deck abgewickelt. Dazu brauchte man eine
Anzahl Angestellte. Die mußten jeden Tag einige Zeit
hart arbeiten und dann wieder einige Zeit langweiligen
Müßiggang ertragen. Sie sprühten vor Jugend und
Unternehmungsgeist und mußten sich die Pausen, in
denen nichts zu tun war, irgendwie erträglich machen;
meist taten sie es, indem sie sich Streiche ausdachten
und sich gegenseitig spielten.

Das beliebteste Opfer dieser Streiche war Ed Jackson,
weil er selbst nie welche machte und für die der anderen
eine leichte Beute darstellte – denn er glaubte immer
alles, was man ihm erzählte.

Eines Tages eröffnete er den anderen seine Absichten
für die Ferien. Er wollte sie diesmal nicht mit Fischen
oder Jagen verbringen, oh nein, er hatte sich einen
besseren Plan ausgedacht. Von seinen vierzig Dollars im
Monat hatte er sich durch sparsames Verhalten genug
beiseite gelegt für seinen Zweck, und nun wollte er sich
mal New York ansehen.

Das war eine großartige und überraschende Idee. Das
hieß, eine Reise machen, eine unermeßliche Reise – in
jenen Tagen bedeutete es: die Welt sehen; es war

voyage around it in ours. At first the other youths thought his mind was affected, but when they found that he was in earnest, the next thing to be thought of was, what sort of opportunity this venture might afford for a practical joke.

The young men studied over the matter, then held a secret consultation and made a plan. The idea was, that one of the conspirators should offer Ed a letter of introduction to Commodore Vanderbilt, and trick him into delivering it. It would be easy to do this. But what would Ed do when he got back to Memphis? That was a serious matter. He was good-hearted, and had always taken the jokes patiently; but they had been jokes which did not humiliate him, did not bring him to shame; whereas, this would be a cruel one in that way, and to play it was to meddle with fire; for with all his good nature, Ed was a Southerner – and the English of that was, that when he came back he would kill as many of the conspirators as he could before falling himself. However, the chances must be taken – it wouldn't do to waste such a joke as that.

So the letter was prepared with great care and elaboration. It was signed Alfred Fairchild, and was written in an easy and friendly spirit. It stated that the bearer was the bosom friend of the writer's son, and was of good parts and sterling character, and it begged the Commodore to be kind to the young stranger for the writer's sake. It went on to say, "You may have forgotten me, in this long stretch of time, but you will easily call me back out of your boyhood memories when I remind you of how we robbed old Stevenson's orchard that night; and

dasselbe, was für uns heutzutage eine Weltreise ist. Zunächst glaubten die übrigen Burschen, er sei nicht ganz bei Verstand, aber als sie merkten, daß es ihm ernst damit war, dachten sie als nächstes darüber nach, welche Möglichkeiten für einen Streich dieses Abenteuer bieten mochte.

Die jungen Männer überlegten gründlich, hielten dann eine geheime Beratung ab und machten folgenden Plan: Einer der Verschwörer sollte Ed ein Empfehlungsschreiben für Kommodore Vanderbilt anbieten und ihn überreden, es abzugeben. Das wäre leicht zu machen. Aber was würde Ed tun, wenn er nach Memphis zurückkäme? Das war eine ernste Sache. Er war gutmütig und hatte stets geduldig ihre Späße hingenommen, aber es waren Späße gewesen, die ihn nicht demütigten oder beschämten; dieser dagegen war, was das betraf, grausam.

Ed diesen Streich spielen, hieß mit dem Feuer spielen; denn bei all seiner Gutherzigkeit war Ed doch ein Südstaatler, und das hieß auf gut Englisch, daß er bei seiner Rückkehr möglichst viele der Verschwörer umbringen würde, bevor er selber fiel. Nun, dieses Risiko mußten sie eben auf sich nehmen. Einen solchen Spaß durfte man sich nicht entgehen lassen.

So wurde der Brief mit großer Umsicht und Sorgfalt abgefaßt. Er war in unbefangenem, freundlichem Ton gehalten und mit Alfred Fairchild unterzeichnet. Es stand darin, der Überbringer sei eng befreundet mit dem Sohn des Schreibers, er besitze gute geistige Fähigkeiten und habe einen gediegenen Charakter, und der Kommodore möge dem Schreiber zuliebe dem jungen Fremden freundlich begegnen. Weiter hieß es: «Sie mögen mich in dieser langen Zeitspanne vergessen haben, aber Sie werden mich unschwer hervorholen aus Ihren Kindheitserinnerungen, wenn ich Ihnen ins Gedächtnis rufe, wie wir an dem einen Abend

how, while he was chasing down the road after us, we cut across the field and doubled back and sold his own apples to his own cook for an hatful of doughnuts; and the time that we –" and so forth and so on, bringing in names of imaginary comrades, and detailing all sorts of wild and absurd and, of course, wholly imaginary school-boy pranks and adventures, but putting them into lively and telling shape.

With all gravity Ed was asked if he would like to have a letter to Commodore Vanderbilt, the great millionaire. It was expected that the question would astonish Ed, and it did.

"What? Do *you* know that extraordinary man?"

"No; but my father does. They were schoolboys together. And if you like, I'll write and ask father. I know he'll be glad to give it to you for my sake."

Ed could not find words capable of expressing his gratitude and delight. The three days passed, and the letter was put into his hands. He started on his trip, still pouring out his thanks while he shook good-by all around. And when he was out of sight his comrades let fly their laughter in a storm of happy satisfaction – and then quieted down, and were less happy, less satisfied. For the old doubts as to the wisdom of this deception began to intrude again.

Arrived in New York, Ed found his way to Commodore Vanderbilt's business quarters, and was ushered into a large anteroom, where a score of people were patiently awaiting their turn for a two-minute interview with the millionaire in his private office. A servant asked for Ed's card, and got the letter instead. Ed was sent for a moment later, and found Mr.

den Obstgarten vom alten Stevenson plünderten und wie wir, während er auf der Straße hinter uns her jagte, querfeldein liefen und zurückschlichen und seine eigenen Äpfel für eine Mütze voll Krapfen an seinen Koch verkauften; und wie wir das andere Mal. . .» Und so weiter, und so weiter. Namen von erfundenen Kameraden wurden genannt und alle möglichen ausgelassenen und verrückten, dabei natürlich völlig erfundenen Schuljungenstreiche und Abenteuer bis in alle Einzelheiten lebendig und anschaulich geschildert.

Mit aller Feierlichkeit wurde Ed gefragt, ob er gerne einen Brief für Kommodore Vanderbilt, den großen Millionär, haben wollte. Man erwartete, daß ihn die Frage überraschen würde, und so war es auch.

«Was? *Du* kennst diesen außergewöhnlichen Mann?»

«Nein, aber mein Vater. Sie waren Schulkameraden. Und wenn du willst, werde ich meinem Vater schreiben und ihn bitten. Ich weiß, mir zuliebe wird er dir gerne einen mitgeben.»

Ed fand keine Worte, seine Dankbarkeit und Freude auszudrücken. Nach Ablauf der drei Tage wurde ihm der Brief übergeben. Er trat seine Reise an, und als er allen zum Lebewohl die Hand schüttelte, strömte er noch immer über vor Dankbarkeit. Als er ihren Blicken entschwunden war, machten seine Kameraden ihrer glücklichen Zufriedenheit in einem dröhnenden Gelächter Luft – doch dann wurden sie leiser und waren nicht mehr so glücklich und zufrieden. Denn der alte Zweifel, ob sie mit diesem Betrug weise gehandelt hatten, meldete sich wieder.

Als Ed in New York angelangt war, begab er sich in die Geschäftsräume von Kommodore Vanderbilt. Er wurde in ein großes Vorzimmer geführt, wo viele Leute geduldig warteten, bis sie an die Reihe kommen würden, um zwei Minuten mit dem Millionär in seinem Privatbüro zu sprechen. Ein Diener bat Ed um seine Karte und erhielt statt dessen den Brief. Kurz darauf wurde

Vanderbilt alone, with the letter – open – in his hand.

"Pray sit down, Mr. – er – "

"Jackson."

"Ah – sit down, Mr. Jackson. By the opening sentences it seems to be a letter from an old friend. Allow me – I will run my eye through

Ed hereingerufen. Herr Vanderbilt war allein und hielt den – geöffneten – Brief in der Hand.

«Bitte, nehmen Sie Platz, Herr. . . »

«Jackson.»

«Aha, nehmen Sie Platz, Herr Jackson. Nach den ersten Sätzen scheint es sich um den Brief eines alten Freundes zu handeln. Gestatten Sie, daß ich ihn über-

it. He says – he says – why, who *is* it?" He turned the sheet and found the signature. «Alfred Fairchild – h'm – Fairchild – I don't recall the name. But that is nothing – a thousand names have gone from me. He says – he says – h'm – h'm – oh, dear, but it's good! Oh, it's rare! I don't *quite* remember it, but I *seem* to – it'll all come back to me presently. He says – he says – h'm – h'm – oh, but that was a game! Oh, spl-endid! How it carries me back! It's all dim, of course – it's a long time ago – and the names – *some* of the names are wavery and indistinct – but sho', I know it happened – I can *feel* it! and lord, how it warms my heart, and brings back my lost youth! Well, well, well, I've got to come back into this workaday world now – business presses and people are waiting – I'll keep the rest for bed to-night, and live my youth over again. And you'll thank Fairchild for me when you see him – I used to call him Alf, I think – and you'll give him my gratitude for what this letter has done for the tired spirit of a hardworked man, and tell him there isn't anything that I can do for him or any friend of his that I won't do. And as for you, my lad, you are my guest; you can't stop at any hotel in New York. Sit where you are a little while, till I get through with these people, then we'll go home. I'll take care of *you*, my boy – make yourself easy as to that."

Ed stayed a week, and had an immense time – and never suspected that the Commodore's shrewd eyes were on him, and that he was daily being weighed and measured and analyzed and tried and tested.

Yes, he had an immense time; and never wrote home, but saved it all up to tell when he

fliege. Er schreibt, er schreibt. . . aber, wer ist es denn eigentlich?» Er drehte das Blatt um und fand die Unterschrift. «Alfred Fairchild, hm. . . Fairchild. . . Ich kann mich nicht an den Namen erinnern. Aber das hat nichts zu sagen – mir sind tausend Namen entfallen. Er schreibt, er schreibt. . . hm. . . hm. . . Ach du meine Güte, das ist prächtig! Oh, köstlich! Ich kann mich zwar nicht *genau* erinnern, aber ich *glaube*, es fällt mir gleich wieder ein. Er schreibt, er schreibt. . . hm. . . hm. . . oh ja, das war ein Spaß! Oh, grrroßartig! Wie fühle ich mich zurückversetzt! Es ist zwar alles wie im Nebel, natürlich, es ist ja lange her, und die Namen – *einige* Namen sind verschwommen und unklar, aber ich weiß bestimmt, es war so – ich *fühle* es! Mein Gott, wie mir dabei warm ums Herz wird, wie mir das meine verlorene Jugend zurückbringt! Aber leider, leider, jetzt muß ich zurück in die Arbeitswelt – die Geschäfte drängen, und die Leute warten. Den Rest will ich für heute abend im Bett aufheben und dabei noch einmal meine Jugend durchleben. Und sagen Sie Fairchild, wenn Sie ihn treffen (ich nannte ihn wohl Alf), meinen Dank für seinen Brief, der dem ermüdeten Geist eines vielbeschäftigten Mannes so wohl getan hat, und sagen Sie ihm, daß es nichts gibt, was ich nicht für ihn oder einen seiner Freunde tun würde, wenn es in meiner Macht steht. Und Sie, mein Junge, sind mein Gast; Sie dürfen in New York nicht im Hotel wohnen. Bleiben Sie eine kleine Weile dort sitzen, bis ich die Leute abgefertigt habe, dann gehen wir heim. Für *Sie* werde ich sorgen, mein Junge – darüber machen Sie sich keine Gedanken.»

Ed blieb eine Woche und verlebte eine großartige Zeit – und er merkte nicht, wie das scharfe Auge des Kommodore auf ihm ruhte, und wie er täglich gewogen, gemessen, analysiert, erprobt und geprüft wurde.

Ja, er verlebte eine herrliche Zeit; er schrieb nie nach Hause, sondern sparte sich das alles für den Augenblick

should get back. Twice, with proper modesty and decency, he proposed to end his visit, but the Commodore said, "No – wait; leave it to me; I'll tell you when to go."

In those days the Commodore was making some of those vast combinations of his – consolidations of warring odds and ends of railroads into harmonious systems, and concentrations of floating and rudderless commerce in effective centers – and among other things his far-seeing eye had detected the convergence of that huge tobacco-commerce, already spoken of, toward Memphis, and he had resolved to set his grasp upon it and make it his own.

The week came to an end. Then the Commodore said:

"Now you can start home. But first we will have some more talk about that tobacco matter. I know you now. I know you abilities as well as you know them yourself – perhaps better. You understand that tobacco matter; you understand that I am going to take possession of it, and you also understand the plans which I have matured for doing it. What I want is a man who knows my mind, and is qualified to represent me in Memphis, and be in supreme command of that important business – and I appoint you."

"Me!"

"Yes. Your salary will be high – of course – for you are representing *me*. Later you will earn increases of it, and will get them. You will need a small army of assistants; choose them yourself – and carefully. Take no man for friendship's sake; but, all things being equal, take the man you know, take your friend, in preference to the stranger."

auf, da er zurückkehren würde. Zweimal hatte er mit gebührender Bescheidenheit und Zurückhaltung geäußert, daß er nun gehen wolle, aber der Kommodore hatte gesagt: «Nein, warten Sie; überlassen Sie das mir; ich sage Ihnen schon, wann Sie gehen können.»

Zu jener Zeit war der Kommodore mit einigen seiner gewaltigen Konzernbildungen beschäftigt: er wollte aus den verstreuten, nur in Teilstrecken vorhandenen Eisenbahnen zusammenhängende Netze schaffen und wollte den ungesteuert treibenden Handelsverkehr auf leistungsfähige Umschlagplätze konzentrieren. Unter anderem hatte sein vorausschauender Blick bemerkt, daß sich der riesige Tabakhandel, von dem wir schon gesprochen haben, auf Memphis einzuspielen begann, und er war entschlossen, ihn in seine Hand zu bekommen und sich anzueignen.

Die Woche ging zu Ende. Da sagte der Kommodore: «Jetzt können Sie heimfahren. Aber zunächst wollen wir uns etwas näher über den Tabakhandel unterhalten. Ich kenne Sie jetzt. Ich kenne Ihre Fähigkeiten so wie Sie selber – vielleicht sogar noch besser. Sie verstehen etwas vom Tabakhandel; Sie verstehen, daß ich ihn in die Hand bekommen will, und Sie verstehen auch die Pläne, die ich dazu entwickelt habe. Ich brauche einen Mann, der meine Absichten kennt und fähig ist, mich in Memphis zu vertreten und die oberste Leitung dieses bedeutenden Geschäfts zu übernehmen – und ich ernenne Sie dazu.»

«Mich?»

«Ja. Ihr Gehalt wird hoch sein, selbstverständlich, da Sie ja mich vertreten. Später werden Sie sich noch Erhöhungen verdienen, Sie sollen sie haben. Sie werden einen beträchtlichen Mitarbeiterstab benötigen; wählen Sie ihn selber – aber seien Sie vorsichtig. Nehmen Sie niemanden aus Freundschaft; aber bei gleichen Voraussetzungen nehmen Sie lieber jemanden, den Sie kennen, ziehen Sie Ihren Freund einem Fremden vor.»

After some further talk under this head, the Commodore said: "Good-bye, my boy, and thank Alf for me, for sending you to me."

When Ed reached Memphis he rushed down to the wharf in a fever to tell his great news and thank the boys over and over again for thinking to give him the letter to Mr. Vanderbilt. It happened to be one of those idle times. Blazing hot noonday, and no sign of life on the wharf. But as Ed threaded his way among the freight-piles, he saw a white linen figure stretched in slumber upon a pile of grain-sacks under an awning, and said to himself, "That's one of them," and hastened his step; next, he said, "It's Charley – it's Fairchild – good"; and the next moment laid an affectionate hand on the sleeper's shoulder. The eyes opened lazily, took one glance, the face blanched, the form whirled itself from the sack-pile, and in an instant Ed was alone and Fairchild was flying for the wharfboat like the wind!

Ed was dazed, stupefied. Was Fairchild crazy? What could be the meaning of this? He started slow and dreamily down toward the wharfboat; turned the corner of a freight-pile and came suddenly upon two of the boys. They were lightly laughing over some pleasant matter; they heard his step, and glanced up just as he discovered them; the laugh died abruptly; and before Ed could speak they were off, and sailing over barrels and bales like hunted deer. Again Ed was paralyzed. Had the boys all gone mad? What *could* be the explanation of this extraordinary conduct? And so, dreaming along, he reached the wharfboat, and stepped aboard – nothing but silence there, and vacancy. He crossed the deck, turned the corner to go down

Nach einigen weiteren Gesprächen über dieses Thema sagte der Kommodore: «Auf Wiedersehen, mein Junge, und sagen Sie Alf meinen Dank dafür, daß er Sie mir geschickt hat.»

Als Ed in Memphis anlangte, rannte er wie besessen zum Kai hinunter, um seine große Neuigkeit zu berichten und den Jungen vielmals dafür zu danken, daß sie den Gedanken gehabt hatten, ihm den Brief für Herrn Vanderbilt mitzugeben. Es war gerade Pause. Glühend heiße Mittagszeit, kein Lebenszeichen am Kai. Doch als Ed sich durch die Frachtstapel schlängelte, gewahrte er auf einem Stoß Getreidesäcke eine Gestalt in weißem Leinenhemd, die unter einer Plane ausgestreckt schlief. Er sagte sich «Das ist einer von ihnen» und beschleunigte seinen Schritt. Darauf sagte er «Es ist Charley, es ist Fairchild – prima», und dann legte er dem Schläfer liebevoll die Hand auf die Schulter. Der öffnete träge die Augen, sah auf, erbleichte und schwang sich blitzschnell von den Säcken herab; im Nu war Ed allein, während Fairchild wie der Wind auf das Verladeschiff zurannte!

Ed stand benommen, verblüfft da. War Fairchild durchgedreht? Was konnte das bedeuten? Langsam und nachdenklich ging er auf das Verladeschiff zu. Als er um die Ecke eines Frachtstapels bog, stand er plötzlich vor zwei von den Jungen. Die lachten unbekümmert über etwas Lustiges; sie hörten seine Schritte und blickten gerade auf, als er sie entdeckte; jäh brach ihr Lachen ab, und ehe Ed etwas sagen konnte, waren sie auf und davon und setzten über Fässer und Ballen wie gehetztes Wild. Wiederum war Ed wie vor den Kopf geschlagen. Waren die Jungen alle verrückt geworden? Was konnte nur der Grund für dieses ungewöhnliche Verhalten sein? Und während er so vor sich hin sann, erreichte er das Verladeschiff und ging an Bord – nichts als Stille und Leere. Er überquerte das Deck und bog um die Ecke, um die äußere Schutzplanke entlangzugehen,

the outer guard, heard a fervent "O Lord!" and saw a white linen form plunge overboard.

The youth came up coughing and strangling, and cried out:

"Go 'way from here! You let me alone. *I* didn't do it, I swear I didn't!"

"Didn't do *what*?"

"Give you the –"

"Never mind what you didn't do – come out of that! What makes you all act so? What have *I* done?"

"You? Why, *you* haven't done anything. But –"

"Well, then, what have you got against me? What do you all treat me so for?"

"I – er – but haven't you got anything against *us*?"

"Of course not. What put such a thing into your head?"

"Honor bright – you haven't?"

"Honor bright."

"Swear it!"

"I don't know what in the *world* you mean, but I swear it, anyway."

"And you'll shake hand with me?"

"Goodness knows I'll be *glad* to! Why, I'm just starving to shake hands with *somebody*!"

The swimmer muttered, "Hang him, he smelt a rat and never delivered the letter! – but it's all right, I'm not going to fetch up the subject." And he crawled out and came dripping and draining to shake hands. First one hand then another of the conspirators showed up cautiously – armed to the teeth – took in the amicable situation, then ventured warily forward and joined the love-feast.

And to Ed's eager inquiry as to what made

da hörte er ein flehentliches «O Gott!» und sah, wie eine Gestalt in weißem Leinenhemd über Bord sprang.

Der Bursche tauchte keuchend und würgend wieder auf und schrie:

«Geh weg! Laß mich in Ruhe. *Ich* hab's nicht getan, ich schwör es dir, ich nicht!»

«Nicht getan? *Was* denn?»

«Ihn dir mitgegeben, den...»

«Egal, was du nicht getan hast – komm aus dem Wasser! Weshalb benehmt ihr euch alle so? Was habe *ich* denn getan?»

«Du? Wieso, *du* hast doch überhaupt nichts getan. Aber...»

«Na also, was habt ihr gegen mich? Weshalb behandelt ihr mich alle so?»

«Ich... Äh... hast denn nicht *du* was gegen uns?»

«Natürlich nicht. Was hat euch nur auf diese Idee gebracht?»

«Ehrenwort, du hast nichts gegen *uns*?»

«Ehrenwort.»

«Schwöre es!»

«Ich weiß nicht, was um alles in der Welt du meinst, aber ich schwöre trotzdem.»

«Und du wirst mir die Hand geben?»

«Du lieber Gott, mit *Freuden*! Ich komm um, wenn ich nicht endlich irgendeinem die Hand geben kann!»

Der Schwimmer murmelte: «Hol ihn der Teufel, er hat Lunte gerochen und den Brief gar nicht abgegeben! Aber schon gut, ich werde das Thema nicht anschneiden.» Und er kroch tropfend und triefend aus dem Wasser und schüttelte ihm die Hand. Vorsichtig tauchten die übrigen Verschwörer einer nach dem anderen auf, bis an die Zähne bewaffnet, erfaßten die freundschaftliche Situation, wagten sich dann behutsam weiter vor und beteiligten sich am Freudenfest.

Auf Eds ungeduldige Fragen, weshalb sie sich so

them act as they had been acting, they answered evasively and prentended that they had put it up as a joke, to see what he would do. It was the best explanation they could invent at such short notice. And each said to himself, "He never delivered that letter, and the joke is on *us*, if he only knew it or we were dull enough to come out and tell."

Then, of course, they wanted to know all about the trip; and he said:

"Come right up on the boiler deck and order the drinks – it's my treat. I'm going to tell you all about it. And to-night it's my treat again – and we'll have oysters and a time!"

When the drinks were brought and cigars lighted, Ed said:

"Well, when I delivered the letter to Mr. Vanderbilt –"

"Great Scott!"

"Gracious, how you scared me. What's the matter?"

"Oh – er – nothing. Nothing – it was a tack in the chair-seat,", said one.

"But you *all* said it. However, no matter. When I delivered the letter –"

"*Did* you deliver it?" And they looked at each other as people might who thought that maybe they were dreaming.

Then they settled to listening; and as the story deepened and its marvels grew, the amazement of it made them dumb, and the interest of it took their breath. They hardly uttered a whisper during two hours, but sat like petrifactions and drank in the immortal romance. At last the tale was ended, and Ed said:

"And it's all owing to *you*, boys, and you'll never find *me* ungrateful – bless your hearts,

verhalten hätten, antworteten sie ausweichend und gaben vor, das hätten sie sich als Spaß ausgedacht, um zu sehen, was er machen würde. Es war die beste Erklärung, die sie sich so schnell ausdenken konnten. Und jeder sagte sich: «Er hat den Brief gar nicht abgegeben, und wir hätten *uns* den Streich gespielt, wenn er ihn kennte oder wir dumm genug wären, etwas davon auszuplaudern.»

Darauf wollten sie natürlich alles über die Reise wissen, und er sagte:

«Kommt gleich mit aufs Kesseldeck und bestellt was zu trinken – auf meine Rechnung. Ich werde euch dann alles erzählen. Und heute abend seid ihr wieder meine Gäste – wir werden Austern essen und feiern.»

Als die Getränke gebracht und Zigarren angezündet waren, begann Ed:

«Nun, als ich Herrn Vanderbilt den Brief übergeben hatte...»

«Großer Gott!»

«Himmel, habt ihr mich erschreckt. Was ist denn?»

«Och-ch, nichts. Nichts – es war ein Nagel in meinem Stuhlkissen», sagte einer.

«Aber ihr habt es doch *alle* gesagt. Na, ist egal. Als ich den Brief abgegeben hatte. . . »

«Hast du ihn wirklich abgegeben?» Und sie sahen einander an wie Leute, die überlegen, ob sie nicht vielleicht träumen.

Dann begannen sie zuzuhören, und als die Erzählung an Tiefe gewann und die Wunder immer größer wurden, waren sie ganz benommen vor Staunen, und die Spannung verschlug ihnen den Atem. Zwei Stunden lang gaben sie kaum einen Laut von sich, sondern saßen wie versteinert da und sogen diesen unsterblichen Abenteuerroman in sich auf. Endlich war die Geschichte zu Ende, und Ed sagte:

«Und alles ist euer Verdienst, Jungs, und ihr sollt mich niemals undankbar sehen – du lieber Himmel, die

the best friends a fellow ever had! You'll all have places; I want every one of you. I *know* you – I know you 'by the *back*', as the gamblers say. You're jokers, and all that, but you're *sterling*, with the hallmark *on*.

And Charley Fairchild, you shall be my first assistant and right hand, because of your first-class ability, and because you got me the letter, and for your father's sake who wrote it for me, and to please Mr. Vanderbilt, who *said* it would! And here's to that great man – drink hearty!"

Yes, when the Moment comes, the Man appears – even if he is a thousand miles away, and has to be discovered by a practical joke.

besten Freunde, die je ein Mann gehabt hat! Ihr werdet alle einen Posten bekommen; ich brauche jeden von euch. Ich *kenne* euch – ich kenne euch von der Rückseite, wie der Spieler sagt. Ihr seid Spaßvögel und was weiß ich noch, aber ihr seid wie Gold mit dem Feingehaltsstempel drauf. Und du, Charley Fairchild, wirst mein erster Mitarbeiter, meine rechte Hand sein, wegen deiner erstklassigen Fähigkeiten, weil du mir den Brief besorgt hast, und zu Ehren deines Vaters, der ihn für mich geschrieben hat, und weil ich so in Herrn Vanderbilts Sinne handle! Und jetzt trinkt kräftig auf das Wohl dieses großen Mannes!»

Ja, wenn der richtige Augenblick kommt, taucht der richtige Mann auf – selbst wenn er tausend Meilen weit weg ist und durch einen Streich entdeckt werden muß.

In my preceding chapters I have tried, by going into the minutiæ of the science of piloting, to carry the reader step by step to a comprehension of what the science consists of; and at the same time I have tried to show him that it is a very curious and wonderful science, too, and very worthy of his attention. If I have seemed to love my subject, it is no surprising thing, for I loved the profession far better than any I have followed since, and I took a measureless pride in it.

The reason is plain: a pilot, in those days, was the only unfettered and entirely independent human being that lived in the earth. Kings are but the hampered servants of parliament and people; parliaments sit in chains forged by their constituency; the editor of a newspaper cannot be independent, but must work with one hand tied behind him by party and patrons, and be content to utter only half or two thirds of his mind; no clergyman is a free man and may speak the whole truth, regardless of his parish's opinions; writers of all kinds are manacled servants of the public. We write frankly and fearlessly, but then we "modify» before we print.

In truth, every man and woman and child has a master, and worries and frets in servitude; but in the day I write of, the Mississippi pilot had *none*. The captain could stand upon the hurricane deck, in the pomp of a very brief authority, and give him five or six orders while the vessel backed into the stream, and then that skipper's reign was

In den vorigen Kapiteln habe ich versucht – indem ich mich in die Einzelheiten der Wissenschaft vom Lotsen vertieft habe – , den Leser Schritt für Schritt zu einem Verständnis dessen hinzuführen, worin diese Wissenschaft besteht; zugleich habe ich versucht, ihm zu zeigen, daß es eine seltsame und wunderbare Wissenschaft ist, die in hohem Maße seine Aufmerksamkeit verdient. Habe ich den Anschein erweckt, daß ich das Thema liebe, so ist das nicht überraschend, denn ich habe diesen Beruf viel mehr geliebt als jeden anderen, dem ich seitdem nachgegangen bin, und war maßlos stolz auf ihn. Der Grund dafür ist einfach: Ein Lotse war in jenen Tagen das einzige durch keine Fesseln beengte und vollkommen unabhängige menschliche Wesen auf der Welt. Könige sind nur unfreie Diener des Parlamentes und des Volkes; Parlamente sind in Ketten gelegt, die von ihrer Wählerschaft geschmiedet wurden; der Chefredakteur einer Zeitung kann nicht unabhängig sein, sondern muß arbeiten, während ihm eine Hand auf den Rücken gebunden ist durch Partei und Geldgeber, und muß damit zufrieden sein, nur die Hälfte oder zwei Drittel dessen zu äußern, was er denkt; kein Geistlicher ist ein freier Mann und darf die ganze Wahrheit sagen, ohne Rücksicht auf die Ansichten seiner Gemeinde. Schriftsteller aller Art sind die mit Handfesseln versehenen Diener des Publikums. Wir schreiben offen und furchtlos, aber «modifizieren» dann vor dem Druck. Wahrlich: Jeder Mann, jede Frau, jedes Kind hat einen Herrn und plagt sich und reibt sich auf in Knechtschaft. Nur der Mississippi-Lotse hatte, zu der Zeit, von der ich berichte, *keinen*. Der Kapitän mochte auf dem Promenadendeck stehen, im Glanz momentaner Bedeutsamkeit, und ihm fünf oder sechs Anweisungen geben, während das Schiff sich rück-

over. The moment that the boat was under way in the river, she was under the sole and unquestioned control of the pilot. He could do with her exactly as he pleased, run her when and whither he chose, and tie her up to the bank whenever his judgment said that that course was best. His movements were entirely free; he consulted no one, he received commands from nobody, he promptly resented even the merest suggestions. Indeed, the law of the United States forbade him to listen to commands or suggestions, rightly considering that the pilot necessarily knew better how to handle the boat than anybody could tell him. So here was the novelty of a king without a keeper, an absolute monarch who was absolute in sober truth und not by a fiction of words. I have seen a boy of eighteen taking a great steamer serenely into what seemed almost certain destruction, and the aged captain standing mutely by, filled with apprehension but powerless to interfere.

His interference, in that particular instance, might have been an excellent thing, but to permit it would have been to establish a most pernicious precedent. It will easily be guessed, considering the pilot's boundless authority, that he was a great personage in the old steamboating days. He was treated with marked courtesy by the captain and with marked deference by all the officers and servants; and this deferential spirit was quickly communicated to the passengers, too. I think pilots were about the only people I ever knew who failed to show, in some degree, embarrassment in the presence of travelling foreign princes. But then, people in one's own

wärts in den Strom schob – dann war die Herrschaft dieses Schiffers zu Ende. Von dem Augenblick an, in dem der Dampfer auf dem Fluß Fahrt aufnahm, stand er unter dem alleinigen und unbestrittenen Kommando des Lotsen. Der konnte mit ihm anstellen, was immer ihm gefiel, konnte ihn steuern, wann und wohin es ihm beliebte, oder ihn am Ufer festmachen, wann immer sein Verstand ihm sagte, daß dieses Verfahren das beste sei. Er war völlig frei in seinem Handeln; er fragte niemanden um Rat, er erhielt von niemandem Befehle, er empörte sich sofort, wenn auch nur Vorschläge gemacht wurden. In der Tat untersagte ihm das Gesetz der Vereinigten Staaten, auf Befehle oder Vorschläge zu hören, indem es zu Recht unterstellte, daß der Lotse notwendigerweise besser mit dem Dampfer umzugehen wußte, als irgend jemand ihm sagen konnte. Hier gab es also etwas ganz Neues: einen König ohne Aufseher, einen absoluten Monarchen, dessen Absolutismus nüchterne Wahrheit war und kein Wortgebilde. Ich habe zugeschaut, wie ein achtzehnjähriger Junge heiter und gelassen einen großen Dampfer in etwas hineinsteuerte, das fast wie der sichere Untergang aussah, während der bejahrte Kapitän stumm dabeistand, voller Sorge, aber ohne die Befugnis, einzugreifen. In diesem besonderen Fall hätte sein Eingreifen möglicherweise etwas sehr Gutes bewirkt, doch es zuzulassen hätte einen höchst unseligen Präzedenzfall geschaffen. Bedenkt man das grenzenlose Ansehen des Lotsen, so kann man sich leicht vorstellen, daß er in den alten Zeiten der Dampfschiffahrt eine sehr hochstehende Persönlichkeit war. Er wurde vom Kapitän mit betonter Höflichkeit behandelt und von allen Offizieren und Angestellten mit betonter Ehrerbietung; diese ehrerbietige Haltung teilte sich rasch auch den Passagieren mit. Ich glaube, Lotsen waren die einzigen Leute, die ich kennengelernt habe, die keinerlei Verlegenheit zeigten in der Gegenwart reisender ausländischer Prinzen. Aber Men-

grade of life are not usually embarrassing objects.

By long habit, pilots came to put all their wishes in the form of commands. It "gravels" me, to this day, to put my will in the weak shape of a request, instead of launching it in the crisp language of an order.

In those old days, to load a steamboat at St. Louis, take her to New Orleans and back, and discharge cargo, consumed about twenty-five days, on an average. Seven or eight of these days the boat spent at the wharves of St. Louis and New Orleans, and every soul on board was hard at work, except the two pilots; *they* did nothing but play gentleman up town, and receive the same wages for it as if they had been on duty. The moment the boat touched the wharf at either city, they where ashore; and they were not likely to be seen again till the last bell was ringing and everything in readiness for another voyage.

When a captain got hold of a pilot of particularly high reputation, he took pains to keep him. When wages were four hundred dollars a month on the Upper Mississippi, I have known a captain to keep such a pilot in idleness, under full pay, three months at a time, while the river was frozen up. And one must remember that in those cheap times four hundred dollars was a salary of almost inconceivable splendor. Few men on shore got such pay as that, and when they did they were mightily looked up to. When pilots from either end of the river wandered into our small Missouri village, they were sought by the best and the fairest, and treated with exalted respect. Lying in port under wages was a thing which many

schen gleichen Standes sind ja nun auch für gewöhnlich nicht das, was einen in Verlegenheit bringt.

Aufgrund langjähriger Übung gewöhnten die Lotsen sich an, alle ihre Wünsche in Befehlsform zu äußern. Es irritiert mich bis heute, meinem Willen die schwache Gestalt einer Bitte zu geben, statt ihn im scharfen Ton eines Befehls vom Stapel zu lassen.

In diesen alten Zeiten dauerte es im Durchschnitt ungefähr fünfundzwanzig Tage, ein Dampfschiff in St. Louis zu beladen, es nach New Orleans und zurück zu steuern und die Ladung zu löschen. Sieben oder acht von diesen Tagen verbrachte das Schiff an den Kais von St. Louis und New Orleans, und jeder an Bord arbeitete hart, außer den beiden Lotsen; *sie* taten nichts, als oben in der Stadt die großen Herren zu spielen und dafür denselben Lohn zu empfangen, wie wenn sie Dienst gehabt hätten. Kaum berührte das Schiff in einer der beiden Städte den Kai, waren sie an Land; und es war nicht sehr wahrscheinlich, daß man sie wieder erblickte, bevor nicht die Schiffsglocke zum letzten Mal läutete und alles für eine weitere Reise bereit war.

Wenn ein Kapitän einen Lotsen mit besonders hohem Ansehen zu fassen bekommen hatte, gab er sich Mühe, ihn zu halten. Als die Löhne auf dem oberen Mississippi vierhundert Dollar im Monat betrugen, kannte ich einen Kapitän, der einen solchen Lotsen bei voller Bezahlung drei Monate lang müßiggehen ließ, während der Fluß zugefroren war. Und man muß sich vergegenwärtigen, daß in jenen billigen Zeiten vierhundert Dollar ein Gehalt von schier unvorstellbarer Höhe waren. Wenige Männer an Land bekamen einen solchen Arbeitslohn, und wenn sie es taten, blickte man gewaltig zu ihnen auf. Wenn Lotsen vom einen oder anderen Ende des Flusses sich in unser kleines Dörfchen am Missouri verirrten, suchten die besten und rechtschaffensten Männer sie auf und behandelten sie mit größter Hochachtung. Bei voller Bezahlung im Hafen zu

pilots greatly enjoyed and appreciated; especially if they belonged in the Missouri River
in the heyday of that trade (Kansas times), and
got nine hundred dollars a trip, which was
equivalent to about eighteen hundred dollars
a month. Here is a conversation of that day.
A chap out of the Illinois River, with a little
stern-wheel tub, accosts a couple of ornate
and gilded Missouri River pilots: –

"Gentlemen, I've got a pretty good trip for
the up-country, and shall want you about a
month. How much will it be?"

"Eighteen hundred dollars apiece."

"Heavens and earth! You take my boat, let
me have your wages, and I'll divide!"

I will remark, in passing, that Mississippi
steamboatmen were important in landsmen's
eyes (and in their own, too, in a degree)
according to the dignity of the boat they were
on. For instance, it was a proud thing to be of
the crew of such stately craft as the "Aleck
Scott" or the "Grand Turk." Negro firemen,
deck hands, and barbers belonging to those
boats were distinguished personages in their
grade of life, and they were well aware of that
fact, too. A stalwart darkey once gave offence
at a negro ball in New Orleans by putting on a
good many airs. Finally one of the managers
bustled up to him and said, –

"Who *is* you, any way? Who *is* you? dat's
what *I* wants to know!"

The offender was not disconcerted in the
least, but swelled himself up and threw that
into his voice which showed that he knew he
was not putting on all those airs on a stinted
capital.

"Who *is* I? Who *is* I? I let you know migh-

liegen war etwas, was viele Lotsen sehr genossen und schätzten, vor allem, wenn sie in der Blütezeit dieses Gewerbes, der «Kansas Zeit», auf dem Missouri arbeiteten, und neunhundert Dollar für eine Fahrt bekamen, was einem Monatsgehalt von ungefähr achtzehnhundert Dollar entsprach. Es folgt hier eine Unterhaltung aus jenen Tagen. Ein Bursche vom Illinois mit einem kleinen Heckradkahn spricht zwei überreich geschmückte Missouri-Lotsen an:

«Meine Herren, ich habe eine recht gute Fahrt landeinwärts anzubieten und werde Sie etwa einen Monat brauchen. Wie hoch ist der Preis?»

«Achtzehnhundert Dollar für jeden.»

«Um Himmels willen! Nehmen Sie mein Schiff, geben Sie mir Ihren Lohn, und ich mache mich davon.»

Ich möchte nebenbei anmerken, daß die Bedeutung, welche den Besatzungen der Mississippi-Dampfschiffe in den Augen der Landbewohner (und zum Teil auch in ihren eigenen) zukam, mit dem Ansehen des Schiffes zusammenhing, auf dem sie arbeiteten. Zum Beispiel war es eine stolze Sache, zur Mannschaft eines so stattlichen Schiffes wie der «Aleck Scott» oder der «Grand Turk» zu gehören. Schwarze Heizer, Matrosen und Barbiere, die auf diesen Booten arbeiteten, waren Respektspersonen in ihrem Stand, und sie waren sich dessen durchaus bewußt. Ein kräftiger Neger erregte einmal bei einem Ball der Schwarzen in New Orleans Anstoß, weil er gewaltig vornehm tat. Schließlich kam einer der Veranstalter auf ihn zu und sagte:

«Wer bis'n du überhaupt? Wer bis'n du? Das isses, was ich wissn will!»

Der Missetäter geriet nicht im geringsten aus der Fassung, sondern warf sich in die Brust und gab seiner Stimme jenes Etwas, in dem sich zeigte, daß er wohl wußte, daß seinem vornehmen Gehabe durchaus kein armseliges Vermögen zugrundelag.

«Wer'ch bin? Wer'ch bin? Ich lass euch mächtich

ty quick who I is! I want you niggers to under-
stan' dat I fires de middle do' on de 'Aleck
Scott!'"

That was sufficient.

The barber of the "Grand Turk" was a spruce
young negro, who aired his importance with
balmy complacency, and was greatly courted by
the circle in which he moved. The young
colored population of New Orleans were much
given to flirting, at twilight, on the banquettes
of the back streets. Somebody saw and heard
something like the following, one evening, in
one of those localities. A middle-aged negro
woman projected her head through a broken
pane und shouted (very willing that the neighbors should hear and envy), "You Mary Ann,
come in de house dis minute! Stannin' out
dah foolin' 'long wid dat low trash, an' heah's
de barber off'n de 'Gran Turk' wants to con-
werse wid you!"

My reference, a moment ago, to the fact that
a pilot's peculiar official position placed him out
of the reach of criticism or command, brings
Stephen W – – naturally to my mind. He was
a gifted pilot, a good fellow, a tireless talker, and
had both wit and humor in him. He had a
most irreverent independence, too, and was
deliciously easy-going and comfortable in the
presence of age, official dignity, and even the
most august wealth. He always had work, he
never saved a penny, he was a most per-
suasive borrower, he was in debt to every pilot
on the river, and to the majority of the cap-
tains. He could throw a sort of splendor around
a bit of harum-scarum, devil-may-care piloting, that made it almost fascinating – but not
to everybody. He made a trip with good old

schnell wissn, wer'ch bin! Ich will, daß ihr Nigger kapiert, daß ich 'er Heizer vonner mittlern Tür auf'er ‹Aleck Scott› bin!»

Das genügte.

Der Barbier der «Grand Turk» war ein schmucker junger Schwarzer, der seine Wichtigkeit mit sanfter Selbstgefälligkeit zur Schau trug und in dem Kreis, in dem er sich bewegte, sehr umworben wurde. Die junge farbige Bevölkerung von New Orleans liebte es sehr, in der Dämmerung auf den Gehwegen der Seitensträßchen zu flirten. An einer dieser Örtlichkeiten sah und hörte jemand eines Abends Folgendes:

Eine schwarze Frau mittleren Alters streckt rasch ihren Kopf durch eine zerbrochene Fensterscheibe und ruft (durchaus mit der Absicht, daß die Nachbarn es hören und neidisch werden sollen): «He, Mary Ann, sei inner Minute im Haus! Stehsa draußn rum un verschwennest Zeit mit dem Gesinnel, un hier isser Barbier vonner ‹Gran' Turk› un will sich mit dir unnerhaltn!»

Wenn ich eben die Tatsache erwähnt habe, daß die eigenartige, amtliche Stellung des Lotsen ihn jeder Kritik und jedem Befehl enthob, so erinnert mich das unmittelbar an Stephen W. Er war ein begabter Lotse, ein verläßlicher Kamerad, ein unermüdlicher Erzähler und besaß beides: Witz und Humor. Er war zudem von einer höchst respektlosen Unabhängigkeit und herrlich unbefangen und gelassen angesichts ehrwürdigen Alters, amtlicher Würde oder selbst majestätischen Reichtums. Er hatte immer Arbeit, sparte nie einen Pfennig, borgte sich in der unwiderstehlichsten Weise Geld, hatte bei jedem Lotsen auf dem Fluß Schulden, und bei den meisten Kapitänen auch. Er verstand es, ein bißchen wildes, Tod und Teufel nicht fürchtendes Lotsentum mit einem Glanz zu umgeben, der es fast betörend machte – doch nicht für jeden. Einmal machte er eine Fahrt mit dem guten alten Kapitän Y.

Captain Y – – once, and was "relieved" from duty when the boat got to New Orleans. Somebody expressed surprise at the discharge. Captain Y – – shuddered at the mere mention of Stephen. Then his poor, thin old voice piped out something like this: –

"Why, bless me! I would n't have such a wild creature on my boat for the world – not for the whole world! He swears, he sings, he whistles, he yells – I never saw such an Injun to yell. All times of the night – it never made any difference to him. He would just yell that way, not for anything in particular, but merely on account of a kind of devilish comfort he got out of it. I never could get into a sound sleep but he would fetch me out of bed, all in a cold sweat, with one of those dreadful war-whoops. A queer being, – very queer being; no respect for anything or anybody. Sometimes he called me 'Johnny.' And he kept a fiddle, and a cat. He played execrably.

This seemed to distress the cat, and so the cat would howl. Nobody could sleep where that man – and his family – was. And reckless? There never was anything like it. Now you may believe it or not, but as sure as I am sitting here, he brought my boat a-tilting down through those awful snags at Chicot under a rattling head of steam, and the wind a-blowing like the very nation, at that! My officers will tell you so. They saw it. And, sir, while he was a-tearing right down through those snags, and I a-shaking in my shoes and praying, I wish I may never speak again if he did n't pucker up his mouth and go to *whistling*! Yes, sir; whistling 'Buffalo gals, can't you come out to-night, can't you

und wurde von seinen Pflichten entbunden, als das Schiff New Orleans erreichte. Jemand zeigte Überraschung angesichts dieser Entlassung. Kapitän Y. überlief ein Schauder, als Stephen nur erwähnt wurde. Dann krächzte er mit seiner armen, alten, dünnen Stimme etwa diese Worte:

«O du lieber Gott! So ein wildes Geschöpf möchte ich um keinen Preis auf meinem Schiff haben – um keinen Preis der Welt! Er flucht, er singt, er pfeift, er schreit – nie habe ich einen Indianer gesehen, der so schrie. Zu jeder beliebigen Zeit während der Nacht – das machte nie einen Unterschied für ihn. Er schrie einfach so, nicht aus irgend einem besonderen Grund, sondern nur deshalb, weil es ihm eine Art teuflischer Befriedigung verschaffte. Ich konnte nie fest einschlafen, ohne daß er mich mit einem dieser schrecklichen Kriegsschreie aus dem Bett holte, bedeckt mit kaltem Schweiß. Ein seltsames Wesen – ein sehr seltsames Wesen; keine Achtung vor irgend etwas oder irgend jemand. Manchmal nannte er mich ‹Johnny›. Und er besaß eine Fiedel und eine Katze. Er spielte scheußlich. Das schien die Katze zu peinigen, so daß die Katze schrie. Niemand konnte schlafen, wo sich dieser Mann – und seine Familie – aufhielt. Und verwegen? Etwas Ähnliches hat es noch nie gegeben. Sie können es glauben oder nicht, aber so sicher, wie ich hier sitze, brachte er mein Schiff mit Schlagseite unter wirbelnden Dampfwolken durch diese entsetzlichen entwurzelten Bäume, die bei Chicot unter der Wasseroberfläche liegen – und dazu tobte ein verteufelter Sturm. Meine Offiziere werden es Ihnen bestätigen. Sie haben es gesehen. Und während er mit voller Geschwindigkeit geradeswegs zwischen den entwurzelten Bäumen hindurchfuhr und ich zitterte und betete – möge ich für alle Zukunft verstummen, mein Herr, wenn er nicht die Lippen spitzte und anfing zu *pfeifen*! Jawohl, mein Herr; er pfiff: ‹Ihr Mädchen von Buffalo, könnt ihr heut abend nicht rauskommen,

come out to-night, can't you come out to-night;' and doing it as calmly as if we were attending a funeral and were n't related to the corpse. And when I remonstrated with him about it, he smiled down on me as if I was his child, and told me to run in the house and try to be good, and not be meddling with my superiors!"

Once a pretty mean captain caught Stephen in New Orleans out of work and as usual out of money. He laid steady siege to Stephen, who was in a very "close place," and finally persuaded him to hire with him at one hundred and twenty-five dollars per month, just half wages, the captain agreeing not to divulge the secret and so bring down the contempt of all the guild upon the poor fellow. But the boat was not more than a day out of New Orleans before Stephen discovered that the captain was boasting of his exploit, and that all the officers had been told. Stephen winced, but said nothing. About the middle of the afternoon the captain stepped out on the hurricane deck, cast his eye around, and looked a good deal surprised. He glanced inquiringly aloft at Stephen, but Stephen was whistling placidly, and attending to business. The captain stood around a while in evident discomfort, and once or twice seemed about to make a suggestion; but the etiquette of the river taught him to avoid that sort of rashness, and so he managed to hold his peace. He chafed and puzzled a few minutes longer, then retired to his apartments. But soon he was out again, and apparently more perplexed than ever. Presently he ventured to remark, with deference, –

"Pretty good stage of the river now, ain't it, sir?"

könnt ihr nicht rauskommen, könnt ihr nicht rauskommen›; er tat das so seelenruhig, als ob wir einer Beerdigung beiwohnten und mit der Leiche nicht verwandt seien. Und als ich ihm Vorhaltungen machte, lächelte er auf mich hinunter, als sei ich sein Kind, und sagte mir, ich solle ins Haus gehen und bitte brav sein und mich nicht mit Leuten einlassen, die mir übergeordnet und überlegen seien!»

Einmal geschah es, daß ein recht geiziger Kapitän Stephen in New Orleans ohne Arbeit antraf und, wie gewöhnlich, auch ohne Geld. Hartnäckig belagerte er Stephen, der sich in der Klemme befand, und überredete ihn schließlich, bei ihm für hundertfünfundzwanzig Dollar im Monat anzuheuern – nur zum halben Lohn also, wobei der Kapitän einwilligte, das Geheimnis nicht auszuplaudern und so den armen Burschen nicht der Verachtung der ganzen Zunft auszuliefern. Das Schiff war erst eine Tagesreise von New Orleans entfernt, als Stephen merkte, daß der Kapitän sich seiner Heldentat rühmte und daß allen Offizieren davon erzählt worden war. Stephen zuckte zusammen, sagte aber nichts. Etwa am mittleren Nachmittag trat der Kapitän hinaus auf das Promenadendeck, blickte rings umher und sah recht verwundert aus. Fragend schaute er hinauf zu Stephen, aber Stephen pfiff gelassen vor sich hin und tat seine Arbeit. Der Kapitän stand eine Weile mit sichtbarem Unbehagen herum und schien ein- oder zweimal nahe daran, einen Vorschlag zu machen; doch die Flußetikette verbot ihm diese Art von Unbesonnenheit, und so gelang es ihm, den Mund zu halten. Sein Ärger und seine Verwirrung hielten noch einige Minuten an, dann zog er sich in seine Gemächer zurück. Doch bald war er wieder draußen, offensichtlich bestürzter denn je. Und es dauerte nicht lange, so wagte er ehrerbietig eine Bemerkung:

«Ganz schön hoher Wasserstand, jetzt, nicht wahr, Sir?»

"Well, I should say so! Bank-full *is* a pretty liberal stage."

"Seems to be a good deal of current here."

"Good deal don't describe it! It's worse than a mill-race."

"Is n't it easier in toward shore than it is out here in the middle?"

"Yes, I reckon it is; but a body can't be too careful with a steamboat. It's pretty safe out here; can't strike any bottom here, you can depend on that."

The captain departed, looking rueful enough. At this rate, he would probably die of old age before his boat got to St. Louis. Next day he appeared on deck and again found Stephen faithfully standing up the middle of the river, fighting the whole vast force of the Mississippi, and whistling the same placid tune.

This thing was becoming serious. In by the shore was a slower boat clipping along in the easy water and gaining steadily; she began to make for an island chute; Stephen stuck to the middle of the river. Speech was *wrung* from the captain. He said, –

"Mr. W – – , don't that chute cut off a good deal of distance?"

"I think it does, but I don't know."

"Don't know! Well, is n't there water enough in it now to go through?"

"I expect there is, but I am not certain."

"Upon my word this is odd! Why, those pilots on that boat yonder are going to try it. Do you mean to say that you don't know as much as they do?"

"*They*! Why, *they* are two-hundred-and-fifty-dollar pilots! But don't you be uneasy; I

«Das kann man wohl sagen! Bis auf Uferhöhe ist ein sehr ansehnlicher Wasserstand.»

«Offenbar recht starke Strömung hier.»

«Recht stark ist nicht der richtige Ausdruck. Sie ist schlimmer als ein Mühlbach.»

«Ist sie unter Land nicht ruhiger als hier draußen in der Mitte?»

«Ja, ich glaube schon; aber man kann ja nicht vorsichtig genug mit einem Dampfschiff sein. Hier draußen ist es ziemlich sicher; hier laufen wir nicht auf Grund, darauf können Sie sich verlassen.»

Der Kapitän ging fort, wobei er recht niedergeschlagen aussah. Bei dieser Geschwindigkeit würde er wahrscheinlich an Altersschwäche sterben, bevor sein Schiff St. Louis erreichte. Am nächsten Tag erschien er an Deck und stellte fest, daß Stephen sich wiederum gewissenhaft in der Mitte des Stromes hielt, gegen die ganze, gewaltige Kraft des Mississippi ankämpfte und dieselbe sanfte Melodie pfiff. Die Sache wurde ernst. Unter Land bewegte sich ein langsameres Schiff in dem ruhigen Wasser schnell voran und holte beständig auf; es begann auf die Stromschnelle zwischen einer Insel und dem Ufer zuzuhalten; Stephen blieb in der Flußmitte. Dem Kapitän entrangen sich ein paar Worte. Er sagte.

«Mr. W., kürzt die Stromschnelle dort nicht ein Gutteil der Strecke ab?»

«Ich denke schon, aber ich weiß es nicht.»

«Sie wissen es nicht? Aber führt sie jetzt nicht genug Wasser, um hindurchzufahren?»

«Ich nehme es an, aber ich bin nicht sicher.»

«Meiner Treu, das ist sonderbar. Die Lotsen auf dem Schiff dort drüben werden es aber versuchen. Wollen Sie mir erzählen, daß Sie nicht so viel wissen wie die?»

«*Die*! Oh, *das* sind Zweihundertfünfzig-Dollar-Lotsen! Aber machen Sie sich keine Sorgen; ich weiß

know as much as any man can afford to know for a hundred and twenty-five!"

The captain surrendered.

Five minutes later Stephen was bowling through the chute and showing the rival boat a two-hundred-and fifty-dollar pair of heels.

so viel, wie sich jemand für hundertfünfundzwanzig leisten kann zu wissen.»

Der Kapitän gab sich geschlagen.

Fünf Minuten später glitt Stephen durch die Stromschnelle und zeigte dem rivalisierenden Schiff, wie zweihundertfünfzig Dollar von hinten aussehen.

I do not claim that I can tell a story as it ought to be told. I only claim to know how a story ought to be told, for I have been almost daily in the company of the most expert story-tellers for many years.

There are several kinds of stories, but only one difficult kind – the humorous. I will talk mainly about that one. The humorous story is American, the comic story is English, the witty story is French. The humorous story depends for its effect upon the *manner* of the telling; the comic story and the witty story upon the *matter*.

The humorous story may be spun out to great length, and may wander around as much as it pleases, and arrive nowhere in particular; but the comic and witty stories must be brief and end with a point. The humorous story bubbles gently along, the others burst.

The humorous story is strictly a work of art – high and delicate art – and only an artist can tell it; but no art is necessary in telling the comic and the witty story; anybody can do it. The art of telling a humorous story – understand, I mean by word of mouth, not print – was created in America, and has remained at home.

The humorous story is told gravely; the teller does his best to conceal the fact that he even dimly suspects that there is anything funny about it; but the teller of the comic story tells you beforehand that it is one of the funniest things he has ever heard, then tells it with eager delight, and is the first person to

Wie man eine Geschichte erzählen sollte

Ich behaupte nicht, eine Geschichte so erzählen zu können, wie sie erzählt werden sollte. Ich behaupte nur zu wissen, wie sie erzählt werden sollte, denn ich habe mich jahrelang fast täglich in der Gesellschaft der erfahrensten Geschichtenerzähler aufgehalten.

Es gibt verschiedene Arten von Geschichten, aber nur eine schwierige – die humorvolle. Ich werde hauptsächlich über diese reden. Die humorvolle Geschichte ist amerikanisch, die komische englisch und die witzige französisch. Die Wirkung der humorvollen Geschichte hängt davon ab, *wie* erzählt wird; die der komischen und der witzigen Geschichte davon, *was* erzählt wird.

Die humorvolle Geschichte kann zu großer Länge ausgesponnen werden, kann nach Belieben hierhin und dorthin schweifen und braucht an keinem bestimmten Punkt zu enden; dagegen müssen die komische und die witzige Geschichte kurz sein und eine Pointe haben. Die humorvolle Geschichte sprudelt liebenswürdig dahin, die anderen zerplatzen mit einem Knall.

Die humorvolle Geschichte ist zweifellos ein Kunstwerk – das Werk einer hohen und heiklen Kunst –, und nur ein Künstler kann sie erzählen; hingegen ist keine Kunst vonnöten, um die komische und die witzige Geschichte vorzutragen; das kann jeder. Die Kunst, eine humorvolle Geschichte zu erzählen – wohlgemerkt, ich meine mündlich, nicht gedruckt – entstand in Amerika und ist nach wie vor nur in Amerika beheimatet.

Die humvorvolle Geschichte wird in ernstem Ton vorgetragen; der Erzähler tut sein Bestes, um die Tatsache zu verbergen, daß er auch nur den leisesten Verdacht hat, es könne etwas an ihr lustig sein; der Erzähler der komischen Geschichte dagegen sagt Ihnen schon vorher, daß es eine der lustigsten Geschichten ist, die er je gehört hat, erzählt dann mit lebhaftem

laugh when he gets through. And sometimes, if he has had good success, he is so glad and happy that he will repeat the "nub" of it and glance around from face to face, collecting applause, and then repeat it again. It is a pathetic thing to see.

Very often, of course, the rambling and disjointed humorous story finishes with a nub, point, snapper, or whatever you like to call it. Then the listener must be alert, for in many cases the teller will divert attention from that nub by dropping it in a carefully casual and indifferent way, with the pretense that he does not know it is a nub.

Artemus Ward used that trick a good deal; then when the belated audience presently caught the joke he would look up with innocent surprise, as if wondering what they had found to laugh at. Dan Setchell used it before him, Nye and Riley and others use it to-day.

But the teller of the comic story does not slur the nub; he shouts it at you – every time. And when he prints it, in England, France, Germany, and Italy, he italicizes it, puts some whooping exclamation-points after it, and sometimes explains it in a parenthesis. All of which is very depressing, and makes one want to renounce joking and lead a better life.

Let me set down an instance of the comic method, using an anecdote which has been popular all over the world for twelve or fifteen hundred years. The teller tells it in this way:

The Wounded Soldier

In the course of a certain battle a soldier whose leg had been shot off appealed to another

Entzücken und ist der erste, der lacht, wenn er zum Ende kommt. Manchmal, wenn er großen Erfolg hat, ist er so froh und glücklich, daß er den «springenden Punkt» wiederholt, von einem Gesicht zum anderen blickt, um den Beifall zu genießen, und ihn dann noch einmal wiederholt. Es ist mitleiderregend anzusehen.

Sehr oft endet natürlich auch die weitschweifige, unzusammenhängende humorvolle Geschichte mit einem springenden Punkt, einer Pointe, einem Knall oder wie immer Sie es nennen wollen. Da muß der Zuhörer aufpassen, denn oft wird der Erzähler die Aufmerksamkeit von jenem Punkt ablenken, indem er ihn bewußt beiläufig und gleichmütig einstreut und so tut, als wisse er gar nicht, daß es sich um eine Pointe handelt.

Artemus Ward benutzte diesen Trick sehr oft; wenn dann die Zuhörer schließlich mit Verspätung den Witz begriffen, sah er mit unschuldsvoller Überraschung auf, als ob er sich frage, was sie denn so lustig fänden. Noch vor ihm verwendete Dan Setchell dieses Kunstmittel; Nye und Riley und andere benutzen es heute.

Der Erzähler der komischen Geschichte übergeht die Pointe nicht; er schreit sie einem ins Gesicht – jedes Mal. Und wenn er sie druckt, in England, Frankreich, Deutschland und Italien, dann nimmt er Kursivschrift, setzt brüllende Rufzeichen dahinter und erklärt sie manchmal in Klammern. Es ist bedrückend und läßt in einem den Wunsch entstehen, das Spaßmachen aufzugeben und ein besseres Leben zu führen.

Lassen Sie mich ein Beispiel für die komische Methode anführen, indem ich eine Anekdote benutze, die seit zwölf- oder fünfzehnhundert Jahren in der ganzen Welt beliebt ist. Der Erzähler berichtet sie so:

Der verwundete Soldat

Im Verlauf einer bestimmten Schlacht bat ein Soldat, dem ein Bein abgeschossen worden war, einen anderen,

soldier who was hurrying by to carry him to the rear, informing him at the same time of the loss which he had sustained; whereupon the generous son of Mars, shouldering the unfortunate, proceeded to carry out his desire. The bullets and cannon-balls were flying in all directions, and presently one of the latter took the wounded man's head off – without, however, his deliverer being aware of it. In no long time he was hailed by an officer, who said:

"Where are you going with that carcass?"

"To the rear, sir – he's lost his leg!"

"His leg, forsooth?" responded the astonished officer; "you mean his head, you booby."

Whereupon the soldier dispossessed himself of his burden, and stood looking down upon it in great perplexity. At length he said:

"It is true, sir, just as you have said." Then after a pause he added, *"But he told me it was his leg!!!!!"*

Here the narrator bursts into explosion after explosion of thunderous horse-laughter, repeating that nub from time to time through his gaspings and shriekings and suffocatings.

It takes only a minute and a half to tell that in its comic-story form; and isn't worth the telling, after all. Put into the humorous-story form it takes ten minutes, and is about the funniest thing I have ever listened to – as James Whitcomb Riley tells it.

He tells it in the character of a dull-witted old farmer who has just heard it for the first time, thinks it is unspeakably funny, and is trying to repeat it to a neighbor. But he can't remember it; so he gets all mixed up and wanders helplessly round and round, putting in tedious

ture is the slurring of the point. A third is the dropping of a studied remark apparently without knowing it, as if one were thinking aloud. The fourth and last is the pause.

Artemus Ward dealt in numbers three and four a good deal. He would begin to tell with great animation something which he seemed to think was wonderful; then lose confidence, and after an apparently absent-minded pause add an incongruous remark in a soliloquizing way; and that was the remark intended to explode the mine – and it did.

For instance, he would say eagerly, excitedly, "I once knew a man in New Zealand who hadn't a tooth in his head" – here his animation would die out; a silent, reflective pause would follow, then he would say dreamily, and as if to himself, "and yet that man could beat a drum better than any man I ever saw."

The pause is an exceedingly important feature in any kind of story, and a frequently recurring feature, too. It is a dainty thing, and delicate, and also uncertain and treacherous; for it must be exactly the right length – no more and no less – or it fails of its purpose and makes trouble.

If the pause is too long the impressive point is passed, and the audience have had time to divine that a surprise is intended – and then you can't surprise them, of course.

On the platform I used to tell a negro ghost story that had a pause in front of the snapper on the end, and that pause was the most important thing in the whole story. If I got it the right length precisely, I could spring the finishing ejaculation with effect enough to

die in die Geschichte nicht hineingehören und ihren Gang nur aufhalten – nimmt sie gewissenhaft wieder heraus und fügt andere ein, die genauso nutzlos sind – begeht hier und da kleinere Irrtümer und unterbricht sich, um sie zu berichtigen und zu erklären, wie er zu diesen Irrtümern kam – erinnert sich an Dinge, die an der richtigen Stelle einzufügen er vergessen hat, und geht in seiner Erzählung zurück, um sie dort aufzunehmen – unterbricht seine Geschichte eine ganze Weile in dem Versuch, sich an den Namen des Soldaten zu erinnern, der verwundet wurde, entsinnt sich schließlich, daß der Name des Soldaten gar nicht erwähnt wurde und äußert gelassen, daß der Name sowieso keine wirkliche Bedeutung habe (natürlich sei es besser, wenn man ihn kenne, aber doch nicht ausschlaggebend) – und so weiter und so fort.

Der Erzähler ist unschuldig und glücklich und zufrieden mit sich und muß ab und zu eine kleine Pause machen, um sich zusammenzunehmen und zu verhindern, daß er laut herauslacht; und er nimmt sich zusammen, aber sein Körper zittert wie Gelee vor innerem Gelächter; und wenn die zehn Minuten herum sind, haben die Zuhörer gelacht bis zur Erschöpfung, und Tränen laufen ihnen übers Gesicht.

Die Einfachheit und Unschuld und Ernsthaftigkeit und Unbewußtheit des alten Bauern werden genauestens gespielt, und das Ergebnis ist eine Vorstellung, die vollkommen bezaubert und entzückt. Das ist Kunst – herrlich und schön, und nur ein Meister kann sie vollbringen; eine Maschine hingegen könnte die andere Geschichte erzählen.

Ungereimtheiten und Absurditäten schweifend und zuweilen absichtslos zu verknüpfen und sich dem Anschein nach in aller Unschuld gar nicht bewußt zu sein, daß es sich um Absurditäten handelt, ist die Grundlage der amerikanischen Erzählkunst, wenn ich recht sehe. Eine weitere Eigenart besteht darin, über

details that don't belong in the tale and only retard it; taking them out conscientiously and putting in others that are just as useless; making minor mistakes now and then and stopping to correct them and explain how he came to make them; remembering things which he forgot to put in in their proper place and going back to put them in there; stopping his narrative a good while in order to try to recall the name of the soldier that was hurt, and finally remembering that the soldier's name was not mentioned, and remarking placidly that the name is of no real importance, anyway – better, of course, if one knew it, but not essential, after all – and so on, and so on, and so on.

The teller is innocent and happy and pleased with himself, and has to stop every little while to hold himself in and keep from laughing outright; and does hold in, but his body quakes in a jelly-like way with interior chuckles; and at the end of the ten minutes the audience have laughed until they are exhausted, and the tears are running down their faces.

The simplicity and innocence and sincerity and unconsciousness of the old farmer are perfectly simulated, and the result is a performance which is thoroughly charming and delicious. This is art – and fine and beautiful, and only a master can compass it; but a machine could tell the other story.

To string incongruities and absurdities together in a wandering and sometimes purposeless way,

and seem innocently unaware that they are absurdities, is the basis of the American art, if my position is correct. Another fea-

der an ihm vorbeieilte, ihn aus dem Feuer zu tragen, und erzählte ihm gleichzeitig von dem Verlust, den er erlitten hatte; woraufhin der edelmütige Sohn des Mars den Unglücklichen auf die Schultern nahm und sich auf den Weg machte, um seinen Wunsch zu erfüllen. Die Gewehrkugeln und Kanonenkugeln flogen in alle Richtungen, und nach kurzer Zeit riß eine der letzteren dem Verwundeten den Kopf ab – ohne daß sich jedoch sein Retter dessen bewußt wurde. Es dauerte nicht lange, so rief ihn ein Offizier an und sagte:

«Wohin gehst du mit dem Kadaver?»

«Aus dem Feuer, Sir – er hat ein Bein verloren!»

«Ein Bein, fürwahr?» antwortete der erstaunte Offizier; «du meinst, seinen Kopf, du Einfaltspinsel.»

Woraufhin der Soldat sich seiner Last entledigte und mit großer Verwunderung auf sie niederblickte. Schließlich sagte er:

«Das stimmt, Sir, es ist so, wie Sie gesagt haben.» Dann fügte er nach einer Pause hinzu: *«Aber er erzählte mir, es sei sein Bein!!!!!»*

Hier bricht der Erzähler in immer neue, donnernde Salven wiehernden Gelächters aus, und nach Luft ringend und spitze Schreie ausstoßend und halb erstickend wiederholt er von Zeit zu Zeit jene Pointe.

Man braucht nur eineinhalb Minuten, um das als komische Geschichte zu erzählen; und sie ist letztlich das Erzählen nicht wert. In die Form der humorvollen Geschichte gebracht, beansprucht sie zehn Minuten und gehört zum Lustigsten, was ich je gehört habe – so wie James Whitcomb Riley sie erzählt.

Er berichtet sie in der Person eines schwachköpfigen alten Bauern, der sie gerade zum ersten Mal gehört hat, sie unsagbar lustig findet und versucht, sie seinem Nachbarn weiterzuerzählen. Aber er hat sie nicht richtig behalten; und so bringt er alles durcheinander und irrt hilflos darin herum, fügt ermüdende Einzelheiten ein,

die Pointe hinwegzugehen. Ein drittes Merkmal ist das scheinbar unbewußte Fallenlassen einer wohlüberlegten Bemerkung, so als ob man laut nachdächte. Das vierte und letzte Charakteristikum ist die Pause.

Artemus Ward befaßte sich viel mit Punkt drei und vier. Er begann gewöhnlich mit großer Lebhaftigkeit etwas zu erzählen, von dem er zu glauben schien, daß es wunderbar sei, wurde dann unsicher und fügte nach einer offenbar geistesabwesenden Pause eine unzusammenhängende Bemerkung hinzu, als spräche er mit sich selber; das war die Bemerkung, welche die Mine zünden sollte – und es auch tat.

So sagte er etwa, eifrig und aufgeregt: «Ich kannte einen Mann in Neuseeland, der hatte keinen einzigen Zahn in seinem Mund» – an dieser Stelle wich die Lebhaftigkeit von ihm; eine schweigsame, nachdenkliche Pause trat ein; dann sagte er träumerisch wie zu sich selber: «Und doch konnte er besser die Trommel schlagen als irgend jemand sonst, den ich gesehen habe.»

Die Pause ist ein außerordentlich wichtiger Bestandteil jeder Art von Erzählung und außerdem ein häufig wiederkehrender Bestandteil. Sie ist etwas Anspruchsvolles und Heikles und außerdem Unsicheres und Verräterisches; denn sie muß genau die richtige Länge haben – darf nicht zu kurz und nicht zu lang sein – , sonst erfüllt sie ihren Zweck nicht und verursacht Schwierigkeiten. Ist die Pause zu lang, ist der packende Augenblick vorbei, und die Zuhörer haben Zeit genug gehabt, um zu der Vermutung zu gelangen, es sei eine Überraschung beabsichtigt – und dann kann man sie natürlich nicht mehr überraschen.

Auf der Bühne pflegte ich eine Geistergeschichte der Schwarzen zu erzählen, die vor der Pointe am Ende eine Pause hatte, und jene Pause war das Wichtigste an der ganzen Erzählung. Wenn ich ihr genau die richtige Länge gab, konnte ich den Ausruf am Ende mit solcher Wirkung hervorstoßen, daß irgendein leicht zu beein-

make some impressible girl deliver a startled little yelp and jump out of her seat – and that was what I was after. This story was called "The Golden Arm," and was told in this fashion. You can practise with it yourself – and mind you look out for the pause and get it right.

The Golden Arm

Once 'pon a time dey wuz a monsus mean man, en he live 'way out in de prairie all 'lone by hisself, 'cep'n he had a wife. En bimeby she died, en he tuck en toted her way out dah in de prairie en buried her. Well, she had a golden

druckendes Mädchen einen erschreckten kleinen Schrei ausstieß und von ihrem Sitz hochfuhr – und das war das, was ich im Sinn hatte. Die Geschichte hieß «Der goldene Arm» und wurde auf die folgende Weise erzählt. Sie können selbst mit ihr üben – und passen Sie auf, daß Sie gut auf die Pause achten und sie richtig bemessen.

Der goldene Arm

Es war maln ungeheuer geizicher Mann, un er wohnte weit draußn auf der Prärie ganz allein für sich, aber er hatte ne Frau. Un schließlich starb sie, un er nahm sie un schleppte sie weit raus auf die Prärie un begrub sie. Nu war es aber so: Sie hatte 'n goldnen Arm

arm – all solid gold, fum de shoulder down. He wuz pow'ful mean – pow'ful; en dat night he couldn't sleep, caze he want dat golden arm so bad.

When it come midnight he couldn't stan' it no mo'; so he git up, he did, en tuck his lantern en shoved out thoo de storm en dug her up en got de golden arm; en he bent his head down 'gin de win', en plowed en plowed en plowed thoo de snow. Den all on a sudden he stop (make a considerable pause here, and look startled, and take a listening attitude) en say: "My *lan'*, what's dat?"

En he listen – en listen – en de win' say (set your teeth together and imitate the wailing and wheezing singsong of the wind), "Bzzz-z-zzz» – en den, way back yonder whah de grave is, he hear a *voice*! – he hear a voice all mix' up in de win' – can't hardly tell 'em 'part – "Bzzz – zzz – W-h-o – g-o-t – m-y – g-o-l-d-e-n *arm*?" (You must begin to shiver violently now.)

En he begin to shiver en shake, en say, "Oh, my! *Oh*, my lan'!" en de win' blow de lantern out, en de snow en sleet blow in his face en mos' choke him, en he start a-plowin' knee-deep towards home mos' dead, he so sk'yerd – en pooty soon he hear de voice agin, en (pause) it 'us comin' *after* him! "Bzzz – zzz – zzz – W-h-o – g-o-t – m-y – g-o-l-d-e-n – *arm*?"

When he git to de pasture he hear it agin – closter now, en a-*comin'*! – a-comin' back dah in de dark en de storm – (repeat the wind and the voice). When he git to de house he rush up-stairs en jump in de bed en kiver up, head and years, en lay dah shiverin' en shakin' – en den way out dah he hear it *agin*! – en a-*comin'*!

– Gold durch un durch, von der Schulter abwärts. Er war mächtich geizich – mächtich; un in der Nacht konnt er nich schlafn, weil er so gern den goldnen Arm ham wollte.

Als es Middernacht war, konnt ers überhaupt nich mehr aushaltn; er stand wirklich auf un packte die Laterne un kämpfte sich durchn Sturm un grub sie aus un nahm den goldnen Arm; un er beuchte den Kopf gegn den Wind un bahnte sich mühsam sein Weg durchn Schnee. Denn ganz plötzlich hielt er an (machen Sie hier eine beträchtliche Pause, sehen Sie beunruhigt aus und nehmen Sie eine lauschende Haltung ein) un sacht: «O *Gott* – was isn das?»

Un er horcht – un horcht – und der Wind sacht (pressen Sie die Zähne zusammen und ahmen Sie den heulenden und pfeifenden Singsang des Windes nach): «Huuu-u-uuu» – un denn hört er da ganz hintn, wo das Grab is, hört er ne *Stimme*! – hört er ne Stimme, die sich mitm Wind vermischt – kann sie fast nich ausnanderhaltn – «Huuu-uuu – W-e-r – h-a-t – m-e-i-n-e-n – g-o-l-d-n-e-n – *Arm*?» (Jetzt müssen Sie heftig zu zittern beginnen.)

Un er fängt an zu zittern un zu bebn un sacht: «O je! O Gott!» Un der Wind pustet die Laterne aus, un Schnee un Eisregen peitschn ihm ins Gesicht un ersticken ihn fast, un er kämpft sich durchn knietiefen Schnee nach Haus, halbtot vor Angst – un ganz bald hört er die Stimme wieder, un (Pause) sie kommt *hinter ihm her*! «Huuu-uuu-uuu – W-e-r – h-a-t – m-e-i-n-e-n – g-o-l-d-n-e-n – *Arm*?»

Als er zur Weide kommt, hört er sie wieder – nich mehr so weit weg jetzt, un sie kommt immer *näer* – kommt immer näer dahintn im Dunkln un im Sturm – (wiederholen Sie den Wind und die Stimme). Wie ers Haus erreicht, stürzt er die Treppe rauf un springt ins Bett un zieht die Decke über sich, über Kopf un Ohrn, un liecht mit Zittern un Bebn da – un denn

En bimeby he hear (pause – awed, listening attitude) – pat – pat – pat – *hit's a-comin' up-stairs*! Den he hear de latch, en he *know* it's in de room!

Den pooty soon he know it's a-*stannin' by de bed*! (Pause.) Den – he know it;s a-*bendin' down over him* – en he cain't skasely git his breath! Den – den – he seem to feel someth'n' *c-o-l-d*, right down 'most agin his head! (Pause.)

Den de voice say, *right at his year* – «W-h-o – g-o-t – m-y – g-o-l-d-e-n *arm*?» (You must wail it out very plaintively and accusingly; then you stare steadily and impressively into the face of the farthest-gone auditor – a girl, preferably – and let that awe-inspiring pause begin to build itself in the deep hush. When it has reached exactly the right length, jump suddenly at that girl and yell, "*You've got it!*"

If you've got the *pause* right, she'll fetch a dear little yelp and spring right out of her shoes. But you *must* get the pause right; and you will find it the most troublesome and aggravating and uncertain thing you ever undertook.)

hört er sie da draußn *wieder*! – un sie kommt *näer*! Un nu hört er (Pause – furchtsame, lauschende Haltung) – tapp – tapp – tapp – *sie kommt die Treppe rauf.* Denn hört er den Riegl, un er *weiß*, sie is im Zimmer!

Denn weiß er ganz bald, daß sie *nebn dem Bett steht*! (Pause). Denn – weiß er, daß sie sich nach untn über ihn beucht – un er kricht fast keine Luft mehr! Denn – denn – scheint er was K-a-l-t-e-s zu fühln, ganz nah untn, fast an seim Kopf! (Pause).

Denn sacht die Stimme, *genau an seim Ohr*: «W-e-r – h-a-t – m-e-i-n-e-n – g-o-l-d-n-e-n – *Arm?*» (Sie müssen das traurig und anklagend herausheulen; blikken Sie dann starr und bewingend in das Gesicht des am meisten beeindruckten Zuhörers – vorzuziehen ist ein Mädchen – und lassen Sie in dem tiefen Schweigen jene furchterregende Pause sich entfalten. Wenn sie genau die richtige Länge hat, springen Sie plötzlich auf das Mädchen zu und rufen gellend: «*Sie* haben ihn!»

Wenn Sie die *Pause* richtig bemessen haben, wird sie einen allerliebsten kleinen Schrei ausstoßen und wie von der Tarantel gestochen hochfahren. Aber Sie *müssen* die Pause richtig bemessen; Sie werden feststellen, daß dies das Schwierigste und Ärgerlichste und Unsicherste ist, worauf Sie sich jemals eingelassen haben.)

In compliance with the request of a friend of mine, who wrote me from the East, I called on good-natured, garrulous old Simon Wheeler, and inquired after my friend's friend, *Leonidas W.* Smiley, as requested to do, and I hereunto append the result. I have a lurking suspicion that *Leonidas W.* Smiley is a myth; that my friend never knew such a personage; and that he only conjectured that, if I asked old Wheeler about him, it would remind him of his infamous *Jim* Smiley, and he would go to work and bore me nearly to death with some infernal reminiscence of him as long and tedious as it should be useless to me. If that was the design, it certainly succeeded.

I found Simon Wheeler dozing comfortably by the bar-room stove of the old, dilapidated tavern in the ancient mining camp of Angel's, and I noticed that he was fat and bald-headed, and had an expression of winning gentleness and simplicity upon his tranquil countenance. He roused up and gave me good-day.

I told him a friend of mine had commissioned me to make some inquiries about a cherished companion of his boyhood named *Leonidas W.* Smiley – *Rev. Leonidas W.* Smiley – a young minister of the Gospel, who he had heard was at one time a resident of Angel's Camp. I added that, if Mr. Wheeler could tell me any thing about this Rev. Leonidas W. Smiley, I would feel under many obligations to him.

Simon Wheeler backed me into a corner and blockaded me there with his chair, and then

Der berühmte Springfrosch der Provinz Calaveras

Der Bitte eines Freundes folgend, der mir aus den Ost-staaten schrieb, besuchte ich den gutmütigen, gesprächi-gen alten Simon Wheeler und fragte ihn nach Leonidas W. Smiley, den Freund meines Freundes, wie ich ge-beten worden war, und füge das Ergebnis hier an. Ich habe den geheimen Verdacht, daß es sich bei *Leonidas W.* Smiley um eine Phantasiegestalt handelt; daß mein Freund diese Person nie gekannt hat; daß er nur an-nahm, es würde den alten Wheeler – wenn ich ihn be-fragte – an den berüchtigten *Jim* Smiley erinnern und er würde sich ans Werk machen und mich fast zu Tode langweilen mit einer fürchterlichen Erinnerung an die-sen *Jim* Smiley, die ebenso lang und ermüdend wie für mich nutzlos sein würde. Sollte dies seine Absicht gewesen sein, so war ihr zweifellos Erfolg beschieden.

Als ich Simon Wheeler aufsuchte, machte er gerade ein gemütliches Nickerchen neben dem Ofen in der Schankstube der alten verfallenen Gastwirtschaft in der bereits geschichtlich gewordenen Goldgräbersiedlung Angel's Camp; ich sah, daß er dick und kahlköpfig war und daß seine ruhigen Gesichtszüge einen Ausdruck gewinnender Freundlichkeit und Schlichtheit trugen. Er wachte auf und begrüßte mich. Ich erzählte ihm, daß ein Freund mich beauftragt habe, Nachforschungen anzustellen über einen sehr geschätzten Gefährten sei-ner Jugend namens *Leonidas W.* Smiley – *Pfarrer Leonidas W.* Smiley –, einen jungen Diener des Evan-geliums, der, wie ihm zu Ohren gekommen war, eine Zeitlang in Angel's Camp gewohnt hatte. Ich fügte hinzu, daß ich mich ihm, Mr. Wheeler, sehr zu Dank verpflichtet fühlen würde, wenn er mir irgend etwas über diesen Leonidas W. Smiley erzählen könnte.

Simon Wheeler drängte mich rückwärts in eine Ecke, machte mir mit seinem Stuhl das Entkommen unmög-

sat me down and reeled off the monotonous narrative which follows this paragraph. He never smiled, he never frowned, he never changed his voice from the gentle-flowing key to which he tuned the initial sentence, he never betrayed the slightest suspicion of enthusiasm; but all through the interminable narrative there ran a vein of impressive earnestness and sincerity, which showed me plainly that, so far from his imagining that there was any thing ridiculous of funny about his story, he regarded it as a really important matter, and admired its two heroes as men of transcendent genius in *finesse*. To me, the spectacle of a man drifting serenely along through such a queer yarn without ever smiling, was exquisitely absurd. As I said before, I asked him to tell me what he knew of Rev. Leonidas W. Smiley, and he replied as follows. I let him go on in his own way, and never interrupted him once:

There was a feller here once by the name of *Jim* Smiley, in the winter of '49 – or may be it was the spring of '50 – I don't recollect exactly, somehow, though what makes me think it was one or the other is because I remember the big flume wasn't finished when he first came to the camp; but any way, he was the curiosest man about always betting on any thing that turned up you ever see, if he could get any body to bet on the other side; and if he couldn't, he'd change sides. Any way that suited the other man would suit him – any way just so's he got a bet, *he* was satisfied. But still he was lucky, uncommon lucky; he most always come out winner. He was always ready and laying for a chance; there couldn't

lich, nötigte mich, Platz zu nehmen, und spulte dann die eintönige Erzählung ab, die sich diesem Absatz anschließt. Er lächelte nie, er runzelte nie die Stirn, nie wechselte sein sanfter Redefluß die Tonlage, auf die der erste Satz eingestimmt worden war, nie ließ er auch nur die leiseste Andeutung von Begeisterung erkennen; vielmehr bildeten eine eindrucksvolle Ernsthaftigkeit und Schlichtheit das wesentliche Merkmal der endlosen Erzählung, wodurch mir klar wurde, daß er sie – weit entfernt davon, irgend etwas Lächerliches oder Lustiges an seiner Geschichte zu sehen – als eine wirklich wichtige Angelegenheit betrachtete und ihre beiden Helden als herausragende Genien der List bewunderte. Mir schien der Anblick eines Mannes, der gelassen durch eine so sonderbare Geschichte dahintreibt, ohne ein einziges Mal zu lächeln, von gediegener Absurdität. Wie ich schon sagte, hatte ich ihn gebeten, mir mitzuteilen, was er von dem Geistlichen Leonidas W. Smiley wisse, und er antwortete mir wie folgt. Ich ließ ihn auf seine Weise erzählen und unterbrach ihn kein einziges Mal.

Es gab hier mal einen Burschen namens *Jim* Smiley, im Winter '49 – vielleicht war's auch im Frühjahr '50 – irgendwie entsinne ich mich nicht so genau, doch was mich glauben läßt, daß es in einem dieser beiden Jahre war, ist meine Erinnerung daran, daß der große Wasserkanal noch nicht fertig war, als er zum ersten Mal in die Siedlung kam; aber jedenfalls war er ein ganz seltsamer Mann, weil er immerzu wetten wollte – auf alles, was sich nur sehen ließ, wenn er nur irgend jemanden finden konnte, der dagegen hielt; wenn er das nicht konnte, wechselte er die Seite. Alles, was dem anderen Mann recht war, war auch ihm recht – alles, wenn er nur wetten konnte; dann war er zufrieden. Aber trotzdem hatte er Glück, ungewöhnliches Glück; er war fast immer der Gewinner. Er war jederzeit bereit und stets auf der Lauer nach einer günstigen

be no solitry thing mentioned but that feller'd offer to bet on it, and take any side you
please, as I was just telling you. If there
was a horse-race, you'd find him flush, or
you'd find him busted at the end of it; if there
was a dog-fight, he'd bet on it; if there was
a cat-fight, he'd bet on it; if there was a
chicken-fight, he'd bet on it; why, if there was
two birds setting on a fence, he would bet
you which one would fly first; or if there was
a camp-meeting; he would be there reg'lar, to
bet on Parson Walker, which he judged to be
the best exhorter about here, and so he was,
too, and a good man. If he even seen a straddle-bug start to go anywheres, he would bet
you how long it would take him to get wher-
ever he was going to, and if you took him up,
he would foller that straddle-bug to Mexico
but what he would find out where he was
bound for and how long he was on the road.
Lots of the boys here has seen that Smiley,
and can tell you about him. Why, it never
made no difference to *him* – he would bet
on *any* thing – the dangdest feller. Parson
Walker's wife laid very sick once, for a good
while, and it seemed as if they warn't going
to save her; but one morning he come in, and
Smiley asked how she was, and he said she
was considerable better – thank the Lord for
his inf'nit mercy – and coming on so smart
that, with the blessing of Prov'dence, she'd
get well yet; and Smiley, before he thought,
says, "Well, I'll risk two-and-a-half that she
don't, any way."

Thish-yer Smiley had a mare – the boys
called her the fifteen-minute nag, but that was
only in fun, you know, because, of course, she

Gelegenheit; kein einziger Gegenstand konnte erwähnt werden, ohne daß der Bursche eine Wette darauf anbot, ganz nach Belieben dafür oder dagegen, wie gesagt. Wenn ein Pferderennen stattfand, war er an dessen Ende wohlhabend oder bankrott; wenn ein Kampf zwischen Hunden stattfand, wettete er darauf; wenn ein Kampf zwischen Katern stattfand, wettete er darauf; wenn ein Kampf zwischen Hähnen stattfand, wettete er darauf; und wenn zwei Vögel auf einem Zaun saßen, wettete er darauf, welcher von beiden zuerst davonfliegen würde. Wenn eine Versammlung der Siedler stattfand, war er regelmäßig dort, um auf Pastor Walker zu wetten, den er für den besten Erweckungsprediger in der Gegend hielt, und das war er auch, und ein guter Mensch. Wenn Smiley nur einen langbeinigen Käfer sah, der sich anschickte, irgenwohin zu laufen, wettete er darauf, wie lange er brauchen würde, um dort anzukommen, wo er hinwollte. Wenn man die Wette annahm, würde er dem Käfer bis nach Mexiko folgen, um herauszubekommen, wo sein Ziel war und wie lange er für den Weg brauchte. Viele Männer hier haben diesen Smiley erlebt und können von ihm erzählen. Jedenfalls, ihm galt alles gleich – er wettete auf alles, dieser verteufelte Bursche. Pastor Walkers Frau lag einmal eine ganze Zeit lang sehr krank zu Bett, und es sah so aus, als könnte man sie nicht wieder gesund machen; aber eines Morgens kam Pastor Walkers herein und Smiley fragte ihn, wie es ihr gehe, und er sagte, es gehe ihr beträchtlich besser – dem Herrn sei Dank für seine unermeßliche Güte –, und sie mache so gute Fortschritte, daß sie, mit dem Segen des Himmels, wieder gesund werden würde; und Smiley sagte, bevor er noch richtig nachgedacht hatte: «Also, ich setze zweieinhalb Dollar darauf, daß sie's nicht wird.»

Dieser Smiley hatte eine Stute – die Männer nannten sie den Fünfzehn-Minuten-Klepper, aber das war nur Spaß, wissen Sie, denn natürlich war sie schneller –,

was faster than that – and he used to win money on that horse, for all she was so slow and always had the asthma, or the distemper, or the consumption, or something of that kind. They used to give her two or three hundred yards start, and then pass her under way; but always at the fag-end of the race she'd get excited and desperate-like, and come cavorting and straddling up, and scattering her legs around limber, sometimes in the air, and sometimes out to one side amongst the fences, and kicking up m-o-r-e dust, and raising m-o-r-e racket with her coughing and sneezing and blowing her nose – and always fetch up at the stand just about a neck ahead, as near as you could cipher it down.

And he had a little small bull pup, that to look at him you'd think he wan't worth a cent, but to set around and look ornery, and lay for a chance to steal something. But as soon as money was up on him, he was a different dog; his under-jaw'd begin to stick out like the fo'castle of a steamboat, and his teeth would uncover, and shine savage like the furnaces. And a dog might tackle him, and bully-rag him, and bite him, and throw him over his shoulder two or three times, and Andrew Jackson – which was the name of the pup – Andrew Jackson would never let on but what *he* was satisfied, and hadn't expected nothing else – and the bets being doubled and doubled on the other side all the time, till the money was all up; and then all of a sudden he would grab that other dog jest by the j'int of his hind leg and freeze to it – not chaw, you understand, but only jest grip and hang on till they throwed up the sponge, if it was a year. Smiley always

und er gewann regelmäßig Geld mit dem Pferd, obgleich es so langsam war und stets Asthma hatte oder Druse oder Schwindsucht oder irgendetwas in der Art. Man gab dieser Stute gewöhnlich zwei- oder dreihundert Yards Vorsprung und überholte sie nachher auf der Strecke;

aber kurz vor dem Ende des Rennens wurde sie immer aufgeregt, geradezu verzweifelt und kam mit Kapriolen und gespreizten Tritten näher, warf die Beine gelenkig bald in die Luft, bald nach einer Seite in die Umzäunung, wirbelte immer mehr Staub auf, machte ein immer lauteres Getue mit Husten und Niesen und Schniefen – und erreichte immer den Zielposten mit einer Nasenlänge Vorsprung, so knapp, wie man es gerade noch berechnen konnte.

Und er hatte einen kleinen jungen Bulldoggenrüden, der, wenn man ihn ansah, keinen Cent wert zu sein schien, der nur herumsitzen, unauffällig aussehen und auf die Gelegenheit warten konnte, irgend etwas zu stehlen. Aber sobald auf ihn gewettet worden war, wurde er ein anderer Hund; sein Unterkiefer ragte dann hervor wie der Bug eines Dampfschiffes, die Zähne waren gebleckt und leuchteten wild wie Feuerkessel. Und der andere Hund konnte ihn angreifen und den Stärkeren herauskehren und ihn beißen und zwei- oder dreimal über die Schulter schleudern, und Andrew Jackson – so hieß der junge Hund – , Andrew Jackson tat die ganze Zeit so, als sei er es zufrieden und habe nichts anderes erwartet. Und die Wetteinsätze wurden die ganze Zeit immer wieder verdoppelt, bis das Geld alle war; und dann packte er urplötzlich den anderen Hund am Gelenk seines Hinterbeines und ließ nicht wieder los – zermalmte es nicht, verstehen Sie, sondern biß sich nur daran fest, und seine Zähne ließen nicht locker, bis das Handtuch geworfen worden war, und wenn es ein Jahr gedauert hätte. Smiley war am Ende immer der Sieger mit diesem jungen Hund, bis er

come ut winner on that pup, till he harnessed a dog once that didn't have no hind legs, because they'd been sawed off by a circular saw, and when the thing had gone along far enough, and the money was all up, and he come to make a snatch for his pet holt, he saw in a minute how he'd been imposed on, and how the other dog had him in the door, so to speak, and he 'peared surprised, and then he looked sorter discouraged-like, and didn't try no more to win the fight, and so he got shucked out bad. He give Smiley a look, as much as to say his heart was broke, and it was *his* fault, for putting up a dog that hadn't no hind legs for him to take holt of, which was his main dependence in a fight, and then he limped off a piece and laid down and died. It was a good pup, was that Andrew Jackson, and would have made a name for hisself if he'd lived, for the stuff was in him, and he had genius – I know it, because he hadn't had no opportunities to speak of, and it don't stand to reason that a dog could make such a fight as he could under them circumstances, if he hadn't no talent. It always makes me feel sorry when I think of that last fight of his'n, and the way it turned out.

Well, thish-yer Smiley had rat-tarriers, and chicken cocks, and tom-cats, and all them kind of things, till you couldn't rest, and you couldn't fetch nothing for him to bet on but he'd match you. He ketched a frog one day, and took him home, and said he cal'klated to edercate him; and so he never done nothing for three months but set in his back yard and learn that frog to jump. And you bet you he *did* learn him, too. He'd give him a little

einmal eine Hund mit ihm zusammenbrachte, der gar keine Hinterbeine hatte, weil sie ihm von einer Kreissäge abgetrennt worden waren, und als die Sache weit genug gediehen und alles Geld verwettet war und Andrew Jackson ihn mit seinem Lieblingsbiß packen wollte, merkte er in einer Minute, was ihm da aufgeschwindelt worden war und in welche Klemme ihn der andere Hund gebracht hatte, und er schien überrascht; und dann sah er irgendwie entmutigt aus und versuchte nicht mehr, den Kampf zu gewinnen, und so wurde ihm übel mitgespielt. Er sah Smiley an, als ob er sagen wollte, ihm sei das Herz gebrochen und es sei Smileys Schuld, weil er einen Hund gegen ihn aufgestellt hatte, der ohne Hinterbeine war, an denen er ihn hätte packen können, worauf er in einem Kampf vor allem angewiesen war; dann hinkte er ein Stück weit fort und legte sich hin und starb. Er war ein guter Hund, dieser Andrew Jackson, und hätte sich einen Namen gemacht, wenn er am Leben geblieben wäre, denn er hatte das Zeug dazu und besaß Genialität – ich weiß es, weil er keine Gelegenheiten bekommen hatte, die der Rede wert gewesen wären, und es ist ja wohl klar, daß ein Hund unter solchen Umständen nicht so kämpfen könnte wie er, wenn er kein Talent hätte. Es macht mich immer traurig, wenn ich an seinen letzten Kampf denke und an die Art und Weise, wie er zu Ende ging.

Also, dieser Smiley hatte Terrier, die Ratten fangen konnten, und Hähne und Kater und alles mögliche andere, so daß man gar keine Ruhe mehr hatte, und man konnte nichts herbeischleppen und ihm zur Wette anbieten, auf das er sich nicht einließ. Eines Tages fing er einen Frosch, nahm ihn mit nach Hause und sagte, er habe die Absicht, ihn auszubilden; folglich tat er drei Monate lang nichts anderes, als in seinem Hinterhof zu sitzen und diesem Frosch das Springen beizubringen. Und Sie können darauf wetten, daß es ihm auch gelang.

punch behind, and the next minute you'd see that frog whirling in the air like a doughnut – see him turn one summerset, or may be a couple, if he got a good start, and come down flat-footed and all right, like a cat. He got him up so in the matter of catching flies, and kept him in practice so constant, that he'd nail a fly every time as far as he could see him. Smiley said all a frog wanted was education, and he could do most any thing – and I believe him. Why, I've seen him set Dan'l Webster down here on this floor – Dan'l Webster was the name of the frog – and sing out, "Flies, Dan'l, flies!" and quicker'n you could wink, he'd spring straight up, and snake a fly off'n the counter there, and flop down on the floor again as solid as a gob of mud, and fall to scratching the side of his head with his hind foot as indifferent as if he hadn't no idea he'd been doin' any more'n any frog might do. You never see a frog so modest and straightfor'ard as he was, for all he was so gifted.

And when it come to fair and square jumping on a dead level, he could get over more ground at one straddle than any animal of his breed you ever see. Jumping on a dead level was his strong suit, you understand; and when it come to that, Smiley would ante up money on him as long as he had a red. Smiley was monstrous proud of his frog, and well he might be, for fellers that had traveled and been everywheres, all said he laid over any frog that ever *they* see.

Well, Smiley kept the beast in a little lattice box, and he used to fetch him down town sometimes and lay for a bet. One day a feller

Er gab ihm einen kleinen Klaps hintendrauf, und sogleich sah man den Frosch durch die Luft wirbeln wie einen Pfannkuchen – sah ihn einen Salto schlagen oder auch zwei, wenn er einen guten Start gehabt hatte, und sah ihn landen, platt auf den Füßen und unversehrt, wie eine Katze. Smiley ließ ihn auf diese Weise hochspringen zum Fliegenfangen, und hielt ihn so beständig in Übung, daß er jedes Mal eine Fliege erwischte, wenn er eine sah. Smiley sagte, alles, was ein Frosch brauche, sei eine Ausbildung, dann könne er fast alles – und ich glaube ihm. Wirklich, ich habe doch gesehen, wie er Dan'l Webster hier auf den Boden setzte – Dan'l Webster hieß der Frosch – und rief: «Fliegen, Dan'l, Fliegen!» Und schneller, als ein Augenzwinkern dauert, sprang Dan'l hoch in die Luft, schnappte eine Fliege von dem Tresen dort weg, plumpste schwer wie ein Erdklumpen wieder auf den Boden und begann sich mit dem Hinterfuß seitlich am Kopf zu kratzen, so gleichgültig, als habe er keine Ahnung davon, daß er irgend etwas getan hatte, was nicht jeder andere Frosch auch hätte tun können. Sie haben noch keinen Frosch gesehen, der so bescheiden und redlich war wie er, trotz seiner großen Begabung. Und wenn es ans offene und ehrliche Springen auf ebenem Boden ging, so konnte er mit einem Satz eine größere Strecke zurücklegen als irgendein anderes Tier seiner Art, das Sie gesehen haben. Das Springen auf ebenem Boden war seine starke Seite, verstehen Sie, und wenn es dazu kam, setzte Smiley Geld auf ihn, solange er noch einen roten Heller hatte. Smiley war gewaltig stolz auf seinen Frosch, und dazu hatte er auch allen Grund, denn Leute, die herumgereist und überall gewesen waren, sagten allesamt, daß er jeden Frosch übertreffe, den sie je gesehen hätten.

Also, Smiley hielt das Tier in einem kleinen Gitterkästchen, und manchmal nahm er ihn mit in den Ort und lauerte auf eine Wette. Eines Tages begegnete ein

– a stranger in the camp, he was – come across
him with his box, and says:

"What might it be that you've got in the
box?"

And Smiley says, sorter indifferent like, "It
might be a parrot, or it might be a canary, may
be, but it an't – it's only just a frog."

And the feller took it, and looked at it careful, and turned it round this way and that,
and says, "H'm – so 'tis. Well, what's *he* good
for?"

"Well," Smiley says, easy and careless, "He's
good enough for *one* thing, I should judge –
he can outjump ary frog in Calaveras county."

The feller took the box again, and took
another long, particular look, and give it back
to Smiley, and says, very deliberate, "Well, I
don't see no p'ints about that frog that's any
better'n any other frog."

"May be you don't," Smiley says. "May be
you understand frogs, and may be you don't
understand 'em; may be you've had experience, and may be you an't only a amature, as
it were. Anyways, I've got *my* opinion, and
I'll risk forty dollars that he can outjump any
frog in Calaveras county."

And the feller studied a minute, and then
says, kinder sad like, "Well, I'm only a stranger
here, and I an't got no frog; but if I had a frog,
I'd bet you."

And then Smiley says, "That's all right –
that's all right – if you'll hold my box a minute,
I'll go and get you a frog."

And so the feller took the box, and put up
his forty dollars along with Smiley's, and set
down to wait.

So he set there a good while thinking and

Mann Smiley mit seinem Kästchen – es war jemand, der fremd in der Siedlung war – und sagte:

«Was kann das nur sein, was Sie da in dem Kästchen haben?»

Und Smiley sagte, scheinbar gleichgültig: «Es könnte ein Papagei sein, oder es könnte vielleicht ein Kanarienvogel sein, aber das ist es nicht – es ist einfach nur ein Frosch.»

Der Mann nahm das Kästchen, betrachtete es aufmerksam von allen Seiten und sagte: «Hm – das stimmt. Was kann man denn mit dem anfangen?»

«Na ja», sagte Smiley lässig und obenhin, «für eins ist er jedenfalls gut, meine ich: er kann besser springen als irgendein Frosch in der Provinz Calaveras.»

Der Mann nahm das Kästchen wieder in die Hand, nahm es lange und genauestens in Augenschein, gab es Smiley zurück und sagte sehr überlegt: «Also, ich seh nichts an diesem Frosch, was besser ist als bei jedem anderen.»

«Vielleicht nicht», sagte Smiley. «Vielleicht haben Sie einen Sinn für Frösche, vielleicht auch nicht; vielleicht haben Sie Erfahrung, und vielleicht sind Sie nicht nur ein Amateur, sozusagen. Jedenfalls habe ich meine Meinung, und ich setze vierzig Dollar darauf, daß er besser springt als irgendein Frosch in der Provinz Calaveras.».

Der Mann dachte eine Minute nach und sagte dann, als wäre er irgendwie traurig: «Na ja, ich bin hier ja nur ein Fremder, und ich habe keinen Frosch; aber wenn ich einen hätte, würde ich mit Ihnen wetten.»

Das sagte Smiley: «Das haben wir gleich – das haben wir gleich – wenn Sie eine Minute mein Kästchen halten, besorge ich Ihnen einen Frosch.»

Der Mann nahm also das Kästchen, legte seine vierzig Dollar zu denen von Smiley und setzte sich hin, um zu warten.

Er saß dort eine gute Weile und dachte angestrengt

thinking to hisself, and then he got the frog out and prized his mouth open and took a tea-spoon and filled him full of quail shot – filled him pretty near up to his chin – and set him on the floor. Smiley he went to the swamp and slopped around in the mud for a long time, and finally he ketched a frog, and fetched him in, and give him to this feller, and says:

"Now, if you're ready, set him alongside of Dan'l, with his fore-paws just even with Dan'l, and I'll give the word."

Then he says, "One – two – three – jump!" and him and the feller touched up the frogs from behind, and the new frog hopped off, but Dan'l give a heave, and hysted up his shoulders – so – like a Frenchman, but it wan't no use – he couldn't budge;

he was planted as solid as an anvil, and he couldn't no more stir than if he was anchored out.

Smiley was a good deal surprised, and he was disgusted too, but he didn't have no idea what the matter was, of course.

nach, dann nahm er den Frosch heraus, zwang ihn, das Maul aufzumachen, nahm einen Teelöffel und füllte ihn voll mit Schrotkugeln, wie man sie zum Wachtelschießen hat – füllte ihn an fast bis zum Kinn – und setzte ihn auf den Boden. Was nun Smiley betraf, so ging er zum Sumpf, watete eine Weile im Morast herum, fing schließlich einen Frosch, brachte ihn herein, gab ihn dem Mann und sagte:

«So, wenn Sie fertig sind, setzen Sie ihn neben Dan'l, seine Füße auf einer Linie mit Dan'ls, und ich gebe das Kommando.»

Dann sagte er: «Eins – zwei – drei – los!» Und er und der andere Mann trieben die Frösche durch einen Schlag von hinten an, und der neue Frosch sprang los, Dan'l hingegen tat einen schweren Atemzug, zog die Schultern hoch – so – wie ein Franzose, aber es hatte keinen Zweck – er konnte sich nicht rühren; er saß so schwergewichtig da wie ein Amboß, und er konnte sich nicht besser bewegen, als wenn er fest verankert gewesen wäre.

Smiley war ganz schön überrascht und außerdem verärgert, aber er hatte natürlich keine Ahnung, was los war.

The feller took the money and started away; and when he was going out at the door, he sorter jerked his thumb over his shoulders – this way – at Dan'l, and says again, very deliberate, "Well, I don't see no p'ints about that frog that's any better'n any other frog."

Smiley he stood scratching his head and looking down at Dan'l along time, and at last he says, "I do wonder what in the nation that frog throw'd off for – I wonder if there an't something the matter with him – he 'pears to look mighty baggy, somehow." And he ketched Dan'l by the nap of the neck, and lifted him up and says, "Why, blame my cats, if he don't weigh five pound!" and turned him upside down, and he belched out a double handful of shot. And then he see how it was, and he was the maddest man – he set the frog down and took out after that feller, but he never ketched him. And –

Here Simon Wheeler heard his name called from the front yard, and got up to see what was wanted. And turning to me as he moved away, he said: "Jest set where you are, stranger, and rest easy – I an't going to be gone a second."

But, by your leave, I did not think that a continuation of the history of the enterprising vagabond *Jim* Smiley would be likely to afford me much information concerning the Rev. *Leonidas W.* Smiley, and so I started away.

At the door I met the sociable Wheeler returning, and he buttonholed me and recommenced:

"Well, thish-yer Smiley had a yaller one-eyed cow that didn't have no tail, only jest a short stump like a bannanner, and – "

Der Mann nahm das Geld und machte sich davon; und als er aus der Tür ging, zeigte er irgendwie mit dem Daumen über die Schulter – so – auf Dan'l und sagte noch einmal sehr überlegt: «Also, *ich* seh nichts an diesem Frosch, was besser ist als bei jedem anderen.»

Smiley stand da und kratzte sich am Kopf und guckte lange auf Dan'l hinunter, und schließlich sagte er: «Ich frage mich, was um alles in der Welt diesen Frosch so aus der Fassung gebracht hat – ich frage mich, ob etwas mit ihm nicht stimmt – irgendwie scheint er auszusehen wie ein dicker Sack.» Er packte Dan'l an der Nackenhaut, hob ihn hoch und sagte: «Der Teufel soll mich holen, wenn der nicht fünf Pfund wiegt.» Er hielt ihn mit dem Kopf nach unten, und Dan'l spuckte zwei Handvoll Schrotkugeln aus. Da wußte Smiley, was los war, und geriet in Wut – er setzte den Frosch auf den Boden und stürzte hinter dem Mann her, holte ihn aber nicht mehr ein. Und –

An dieser Stelle hörte Simon Wheeler, wie im vorderen Hof sein Name gerufen wurde, und stand auf, um zu sehen, was gewünscht wurde. Im Weggehen drehte er sich zu mir um und sagte: «Bleiben Sie nur, wo Sie sind, Fremder, und machen Sie es sich bequem – ich werde keine Sekunde fort sein.»

Aber ich, mit Ihrer Erlaubnis, war der Meinung, daß es sehr unwahrscheinlich sei, daß eine Fortsetzung der Geschichte von dem unternehmungslustigen Herumtreiber *Jim* Smiley mir irgendwelche Erkenntnisse hinsichtlich des Pfarrers *Leonidas W.* Smiley vermitteln würde, und deshalb machte ich mich davon.

An der Tür traf ich auf den zurückkehrenden Wheeler, der so gerne Gesellschaft hatte – er hielt mich fest und fing von neuem an:

«Also, dieser Smiley hatte eine gelbe, einäugige Kuh, die keinen Schwanz hatte, einfach nur einen kurzen Stummel wie eine Banane, und – »

"Oh! hang Smiley and his afflicted cow!" I muttered, good-naturedly, and bidding the old gentleman good-day, I departed.

«Ach, zum Henker mit Smiley und seiner geplagten Kuh», murmelte ich gutmütig, wünschte dem alten Herren einen guten Tag und machte mich auf den Weg.

The cayote is a long, slim, sick and sorry-looking skeleton, with a gray wolf-skin stretched over it, a tolerably bushy tail that forever sags down with a despairing expression of forsakenness and misery, a furtive and evil eye, and a long, sharp face, with slightly lifted lip and exposed teeth. He has a general slinking expression all

over. The cayote is a living, breathing allegory of Want. He is *always* hungry. He is always poor, out of luck and friendless. The meanest creatures despise him, and even the fleas would desert him for a velocipede. He is so spiritless and cowardly that even while his exposed teeth are pretending a threat, the rest of his face is apologizing for it. And he is *so* homely! – so scrawny, and ribby, and coarse-haired, and pitiful. When he sees you he lifts his lip and

Der Kojote

Der Kojote ist ein langes, dürres, elendes und jämmerlich aussehendes Gerippe, bedeckt mit einem grauen Wolfsfell, versehen mit einem leidlich buschigen Schwanz, der immer und ewig mit einem verzweiflungsvollen Ausdruck der Verlassenheit und Trübsal herabhängt, mit einem verschlagenen, bösen Blick und einer langen, spitzen Schnauze mit leicht hochgezogenen

Lefzen und entblößten Zähnen. Das gesamte Tier hat etwas Schleichendes an sich. Der Kojote ist ein lebendes und atmendes Sinnbild des Mangels. Er ist *immer* hungrig. Er ist immer arm, glücklos und ohne Freunde. Die allergeringsten Tiere verachten ihn, und selbst die Flöhe verlassen ein solches Veloziped. Er ist so mutlos und feige, daß, während noch seine entblößten Zähne eine Drohung vortäuschen, der Rest seines Gesichtes sich dafür entschuldigt. Und er ist so *häßlich* – so mager und knochig und struppig und mitleiderregend. Wenn

lets a flash of his teeth out, and then turns a little out of the course he was pursuing, depresses his head a bit, and strikes a long, soft-footed trot through the sage-brush, glancing over his shoulder at you, from time to time, till he is about out of easy pistol range, and then he stops and takes a deliberate survey of you; he will trot fifty yards and stop again – another fifty and stop again; and finally the gray of his gliding body blends with the gray of the sage-brush, and he disappears.

All this is when you make no demonstration against him; but if you do, he develops a livelier interest in his journey, and instantly electrifies his heels and puts such a deal of real estate between himself and your weapon, that by the time you have raised the hammer you see that you need a minie rifle, and by the time you have got him in line you need a rifled cannon, and by the time you have "drawn a bead" on him you see well enough that nothing but an unusually long-winded streak of lightning could reach him where he is now.

But if you start a swift-footed dog after him, you will enjoy it ever so much – especially if it is a dog that has a good opinion of himself, and has been brought up to think he knows something about speed. The cayote will go swinging gently off on that deceitful trot of his, and every little while he will smile a fraudful smile over his shoulder that will fill that dog entirely full of encouragement and worldly ambition, and make him lay his head still lower to the ground, and stretch his neck further to the front, and pant more fiercely, and stick his tail out straighter

er Sie erblickt, zieht er die Lefzen hoch und läßt die Zähne aufblitzen, und dann weicht er ein wenig von dem Kurs ab, den er verfolgte, senkt seinen Kopf ein bißchen und schlägt einen langen, weichen Trab durch die Salbeisteppe ein; dabei wirft er Ihnen ab und zu einen Blick über die Schulter zu, bis er so ungefähr aus der Reichweite eines bequemen Pistolenschusses heraus ist, und dann hält er an und unterzieht Sie einer eingehenden Betrachtung. Darauf wird er fünfzig Yard weit trotten und wieder anhalten – weitere fünfzig Yard trotten und wieder anhalten; und schließlich verschmilzt das Grau seines dahingleitenden Körpers mit dem Grau des Salbeis, und er verschwindet. So verhält es sich, wenn man ihm gegenüber keinerlei Absichten kundtut; macht man das aber, so entwickelt er eine lebhaftere Teilnahme an seinem Vorankommen, setzt sogleich seine Füße unter elektrischen Strom und bringt ein solches Stück Land zwischen sich und Ihre Waffe, daß Sie zu dem Zeipunkt, zu dem Sie Ihren Hahn gespannt haben, sehen, daß Sie eine Miniébüchse brauchen; und zu dem Zeitpunkt, zu dem Sie ihn im Visier haben, sehen Sie, daß Sie eine Kanone mit gezogenem Lauf brauchen, und zu dem Zeitpunkt, zu dem Sie auf ihn gezielt haben, sehen Sie ein, daß nur ein ungewöhnlich langgezogener Blitzstrahl ihn dort erreichen könnte, wo er sich jetzt befindet. Doch wenn Sie nun einen schnellfüßigen Hund hinter ihm herschicken, werden Sie daran großes Vergnügen haben – vor allem, wenn es ein Hund ist, der eine hohe Meinung von sich hat und zu dem Glauben erzogen wurde, er verstehe etwas von Geschwindigkeit. Der Kojote wird sanft in seinen hinterlistigen Trab fallen, und von Zeit zu Zeit wird er ein trügerisches Lächeln über seine Schulter zurückwerfen, das den Hund mit Ermutigung und völlig diesseitigem Ehrgeiz erfüllt und dazu führt, daß er den Kopf noch tiefer auf den Boden senkt, seinen Nacken noch weiter vorreckt,

behind, and move his furious legs with a yet wilder frenzy, and leave a broader and broader, and higher and denser cloud of desert sand smoking behind, and marking his long wake across the level plain! And all this time the dog is only a short twenty feet behind the cayote, and to save the soul of him he cannot understand why it is that he cannot get perceptibly closer; and he begins to get aggravated, and it makes him madder and madder to see how gently the cayote glides along and never pants or sweats or ceases to smile; and he grows still more and more incensed to see how shamefully he has been taken in by an entire stranger, and what an ignoble swindle that long, calm, soft-footed trot is; and next he notices that he is getting fagged, and that the cayote actually has to slacken speed a little to keep from running away from him – and *then* that town-dog is mad in earnest, and he begins to strain und weep and swear, and paw the sand higher than ever, and reach for the cayote with concentrated and desperate energy. This "spurt" finds him six feet behind the gliding enemy, and two miles from his friends.

And then, in the instant that a wild new hope is lighting up his face, the cayote turns and smiles blandly upon him once more, and with a something about it which seems to say: «Well, I shall have to tear myself away from you, bub – business is business, and it will not do for me to be fooling along this way all day» – and forthwith there is a rushing sound, and the sudden splitting of a long crack through the atmosphere, and behold that dog is solitary and alone in the midst of a vast solitude!

noch wilder keucht, seinen Schwanz noch gerader nach hinten streckt, seine ungestümen Beine mit noch wilderer Aufregung bewegt und daß eine immer breitere, höhere und dichtere Wolke aus Wüstensand hinter ihm herzieht und seinen langen Weg über die flache Ebene anzeigt! Und während dieser ganzen Zeit befindet sich der Hund nur knappe zwanzig Fuß hinter dem Kojoten, und nicht um sein Seelenheil kann er begreifen, warum er nicht merklich näher herankommen kann. Er beginnt sich zu ärgern, und es macht ihn immer wütender, mitansehen zu müssen, wie der Kojote sanft dahingleitet und nie keucht oder schwitzt oder aufhört zu lächeln; und es macht ihn immer noch rasender, daß er erkennen muß, wie schändlich er von einem völlig Fremden hereingelegt worden ist und welch ein unwürdiger Schwindel dieser lange, ruhige, sanftfüßige Trab ist. Und als nächstes merkt er, daß er müde wird und daß der Kojote doch tatsächlich ein wenig langsamer werden muß, um zu vermeiden, daß er ihm davonläuft – und *jetzt* ist der Stadthund ernsthaft zornig und beginnt, weinend und fluchend das Letzte aus sich herauszuholen, den Sand höher aufzuwirbeln als je zuvor und mit konzentrierter und verzweifelter Energie sich nach dem Kojoten auszustrecken. Nach diesem «Spurt» befindet er sich sechs Fuß hinter seinem dahingleitenden Feind und zwei Meilen entfernt von seinen Freunden. Und dann, in dem Augenblick, da eine wilde neue Hoffnung in seinem Gesicht aufleuchtet, dreht sich der Kojote um und lächelt ihm noch einmal freundlich zu, auf eine Art und Weise, die zu sagen scheint: «Nun, ich werde mich von dir losreißen müssen, mein Kleiner – Geschäft ist Geschäft, und ich kann es mir nicht leisten, den ganzen Tag so herumzuspielen» – und dann ertönt ein brausendes Geräusch, ein langer Riß zerteilt plötzlich die Atmosphäre – und siehe, jener Hund befindet sich allein und verlassen in einer unendlichen Einsamkeit!

It makes his head swim. He stops, and looks all around; climbs the nearest sand-mound, and gazes into the distance; shakes his head reflectively, and then, without a word, he turns and jogs along back to his train, and takes up a humble position under the hindmost wagon, and feels unspeakably mean, and looks ashamed, and hangs his tail at half-mast for a week. And for as much as a year after that, whenever there is a great hue and cry after a cayote, that dog will merely glance in that direction without emotion, and apparently observe to himself, "I believe I do not wish any of the pie."

Das macht ihn schwindeln. Er bleibt stehen und sieht sich um; er klettert auf den nächsten Sandhügel und starrt in die Ferne; er schüttelt nachdenklich den Kopf – und dann dreht er sich ohne ein Wort um und trottet zurück zu seiner Wagenkolonne, legt sich in demütiger Haltung unter den allerletzten Wagen, fühlt sich unsagbar unbedeutend, sieht beschämt aus und läßt eine Woche lang seinen Schwanz auf Halbmast hängen. Und noch ein Jahr danach wird dieser Hund, wann immer ein großes Geschrei hinter einem Kojoten her ertönt, nur ohne Erregung einen Blick in jene Richtung werfen und offenbar zu sich selbst sagen: «Ich glaube, ich möchte nichts von diesem Kuchen.»

The next morning it was still snowing furiously when we got away with our new stock of saddles and accoutrements. We mounted and started. The snow lay so deep on the ground that there was no sign of a road perceptible, and the snow-fall was so thick that we could not see more than a hundred yards ahead, else we could have guided our course by the mountain ranges. The case looked dubious, but Ollendorff said his instinct was as sensitive as any compass, and that he could "strike a bee-line" for Carson city and never diverge from it. He said that if he were to straggle a single point out of the true line his instinct would assail him like an outraged conscience. Consequently we dropped into his wake happy and content. For half an hour we poked along warily enough, but at the end of that time we came upon a fresh trail, and Ollendorff shouted proudly:

"I knew I was as dead certain as a compass, boys! Here we are, right in somebody's tracks that will hunt the way for us without any trouble. Let's hurry up and join company with the party."

So we put the horses into as much of a trot as the deep snow would allow, and before long it was evident that we were gaining on our predecessors, for the tracks grew more distinct. We hurried along, and at the end of an hour the tracks looked still newer and fresher – but what surprised us was, that the *number* of travelers in advance of us seemed to steadily increase. We wondered how so large a party came to be traveling at such a time and in such a solitude.

Im Schneesturm verirrt

Am nächsten Morgen schneite es immer noch heftig, als wir mit unserem neuen Bestand an Sätteln und Ausrüstung aufbrachen. Wir saßen auf und ritten los. Der Schnee lag so hoch, daß nicht die Spur eines Weges sichtbar war, und er fiel so dicht, daß wir nicht mehr als hundert Yard weit sehen konnten; andernfalls hätten wir die Richtung nach der Gebirgskette bestimmen können. Die Lage schien ungewiß, aber Ollendorff meinte, sein Instinkt sei so empfindlich wie ein Kompaß, und er könne den kürzesten Weg nach Carson einschlagen, ohne je davon abzuweichen. Er sagte, wenn er vom richtigen Kurs auch nur einen einzigen Strich abwiche, so würde sein Instinkt ihn plagen wie ein empörtes Gewissen. Also reihten wir uns glücklich und zufrieden hinter ihm ein. Eine halbe Stunde lang tasteten wir uns mit hinlänglicher Behutsamkeit vorwärts, aber danach stießen wir auf eine frische Fährte, und Ollendorff rief stolz:

«Ich wußte doch, daß ich so todsicher wie ein Kompaß bin, Jungs! Hier, wir befinden uns genau auf einer Spur, die uns den Weg zeigen wird, ohne die geringste Mühe. Wir wollen uns beeilen und uns der Gesellschaft anschließen.»

Darum setzten wir unsere Pferde so weit in Trab, wie es der hohe Schnee zuließ, und binnen kurzem war ersichtlich, daß wir den Vorausreisenden gegenüber aufholten, denn die Spuren wurden deutlicher. Wir trieben unsere Pferde zur Eile an, und nach einer Stunde sahen die Spuren noch neuer und frischer aus – aber was uns erstaunte, war, daß die Anzahl der Reisenden vor uns sich beständig zu vergrößern schien. Wir fragten uns, wie es kommen konnte, daß eine so große Gesellschaft zu dieser Zeit und in dieser Einsamkeit unterwegs war. Jemand vermutete, daß es ein Trupp

Somebody suggested that it must be a company of soldiers from the fort, and so we accepted that solution and jogged along a little faster still, for they could not be far off now. But the tracks still multiplied, and we began to think the platoon of soldiers was miraculously expanding into a regiment – Ballou said they had already increased to five hundred! Presently he stopped his horse and said:

"Boys, these are our own tracks, and we've actually been circussing round and round in a circle for more than two hours, out here in this blind desert! By George this is perfectly hydraulic!"

Then the old man waxed wroth and abusive. He called Ollendorff all manner of hard names – said he never saw such a lurid fool as he was, and ended with the peculiarly venomous opinion that he "did not know as much as a logarythm!"

We certainly had been following our own tracks. Ollendorff and his «mental compass» were in disgrace from that moment. After all our hard travel, here we were on the bank of the stream again, with the inn beyond dimly outlined through the driving snow-fall. While we were considering what to do, the young Swede landed from the canoe and took his pedestrian way Carson-wards,

singing his same tiresome song about his "sister and his brother" and "the child in the grave with its mother," and in a short minute faded and disappeared in the white oblivion. He was never heard of again. He no doubt got bewildered and lost, and Fatigue delivered him over to Sleep and Sleep betrayed him to Death. Possibly he

Soldaten aus dem Fort sein müsse, und so entschieden wir uns für diese Lösung und trabten noch ein wenig schneller, denn sie konnten jetzt nicht mehr weit weg von uns sein. Aber die Spuren vervielfachten sich immer noch, und wir begannen zu glauben, daß der Zug Soldaten sich wunderbarerweise zu einem Regiment erweitere – Ballou sagte, sie hätten sich bereits auf fünfhundert vermehrt! Bald darauf hielt er sein Pferd an und sagte:

«Jungs, das sind unsere eigenen Spuren; wir sind doch tatsächlich mehr als zwei Stunden lang immerzu im Kreis herumgeritten, und das hier draußen in dieser undurchsichtigen Wüste! Zum Donnerwetter, das ist absolut hydraulisch!»

Dann wurde der alte Mann zornig und beleidigend. Er beschimpfte Ollendorff auf jede erdenkliche Weise – sagte, er habe noch nie einen solch entsetzlichen Trottel wie ihn gesehen, und schloß mit der besonders giftigen Bemerkung, er «wisse nicht einmal so viel wie ein Logarithmus».

Kein Zweifel war möglich: wir waren unseren eigenen Spuren gefolgt. Ollendorff und sein «innerer Kompaß» fielen damit in Ungnade. Nach unserer ganzen mühseligen Reise befanden wir uns nun wieder am Ufer des Flusses, und das Gasthaus auf der anderen Seite zeichnete sich schwach im Schneetreiben ab. Während wir darüber nachdachten, was zu tun war, ging der junge Schwede aus dem Kanu an Land und machte sich zu Fuß auf den Weg nach Carson, indem er wieder sein ermüdendes Lied von seiner Schwester und seinem Bruder sang und vom «Kind im Grab bei seiner Mutter», und nach nicht einmal einer Minute verblaßte seine Gestalt und verschwand in der weißen Vergessenheit. Man hat nie wieder etwas von ihm gehört. Ohne Zweifel geriet er in Verwirrung und in die Irre, und die Ermüdung lieferte ihn dem Schlaf aus, und der Schlaf verriet ihn an den Tod. Möglicherweise folgte er

followed our treacherous tracks till he became exhausted and dropped.

Presently the Overland stage forded the now fast receding stream and started toward Carson on its first trip since the flood came. We hesitated no longer, now, but took up our march in its wake, and trotted merrily along, for we had good confidence in the driver's bump of locality. But our horses were no match for the fresh stage team. We were soon left out of sight; but it was no matter, for we had the deep ruts the wheels made for a guide. By this time it was three in the afternoon, and consequently it was not very long before night came — and not with a lingering twilight, but with a sudden shutting down like a cellar door, as is its habit in that country. The snow-fall was still as thick as ever, and of course we could not see fifteen steps before us; but all about us the white glare of the snow-bed enabled us to discern the smooth sugar-loaf mounds made by the covered sage-bushes, and just in front of us the two faint grooves which we knew were the steadily filling and slowly disappearing wheel-tracks.

Now those sage-bushes were all about the same height — three or four feet; they stood just about seven feet apart, all over the vast desert; each of them was a mere snow-mound, now; in *any* direction that you proceeded (the same as in a well laid out orchard) you would find yourself moving down a distinctly defined avenue, with a row of these snow-mounds on either side of it — an avenue the customary width of a road, nice and level in its breadth, and rising at the sides in the most natural way, by reason of the mounds. But we had not

unseren trügerischen Spuren, bis er erschöpft zu Boden sank.

Bald darauf passierte die Überlandkutsche den Fluß, der jetzt immer weniger Wasser führte, und machte sich auf die erste Fahrt nach Carson seit dem Hochwasser. Wir zögerten nun nicht länger, sondern nahmen unseren Ritt in ihren Spuren wieder auf und trabten frohgemut dahin, denn wir hatten großes Vertrauen in den Ortssinn des Kutschers. Aber unsere Pferde konnten es mit dem ausgeruhten Postgespann nicht aufnehmen. Bald blieben wir außer Sichtweite zurück; doch das machte uns nichts aus, wir hatten ja die tiefen Furchen der Wagenräder als Wegweiser. Es war jetzt drei Uhr nachmittags, folglich würde es nicht mehr lange dauern, bis die Nacht einbrach – und zwar nicht mit langsamer Dämmerung, sondern so plötzlich, als fiele eine Kellertür zu – wie sie in diesem Land immer kommt. Der Schnee fiel so dicht wie zuvor, wir konnten also nicht einmal fünfzehn Schritte weit sehen; aber der weiße Schimmer des Schneebettes um uns herum ließ uns die sanften, zuckerhutförmigen Hügel erkennen, die von den verschneiten Salbeibüschen gebildet wurden, und unmittelbar vor uns die beiden schwach erkennbaren Rillen, von denen wir wußten, daß es die Wagenspuren waren, die sich stetig mit Schnee füllten und langsam verschwanden.

Diese Salbeibüsche nun hatten alle ungefähr die gleiche Höhe von drei oder vier Fuß; sie standen etwa sieben Fuß auseinander, überall in der ganzen weiten Wüste; jeder von ihnen war jetzt nur ein Schneehügel; in jeder Richtung, in die man sich wandte, fand man sich (ebenso wie in einem gut angelegten Obstgarten) in einer klar erkennbaren Allee wieder, die man entlangschritt, mit einer Reihe dieser Schneehügel auf jeder Seite. Diese Allee hatte das übliche Ausmaß einer Straße, war schön eben in der Breite und wuchs an den Seiten wegen dieser Hügel in der natürlichsten Weise

thought of this. Then imagine the chilly thrill that shot through us when it finally occurred to us, far in the night, that since the last faint trace of the wheel-tracks had long ago been buried from sight, we might now be wandering down a mere sage-brush avenue, miles away from the road and diverging further and further away from it all the time. Having a cake of ice slipped down one's back is placid comfort compared to it. There was a sudden leap and stir of blood that had been asleep for an hour, and as sudden a rousing of all the drowsing activities in our minds and bodies. We were alive and awake at once – and shaking and quaking with consternation, too. There was an instant halting and dismounting, a bending low and an anxious scanning of the road-bed. Useless, of course; for if a faint depression could not be discerned from an altitude of four or five feet above it, it certainly could not with one's nose nearly against it.

We seemed to be in a road, but that was no proof. We tested this by walking off in various directions – the regular snow-mounds and the regular avenues between them convinced each man that *he* had found the true road, and that the others had found only false ones. Plainly the situation was desperate. We were cold and stiff and the horses were tired. We decided to build a sage-brush fire and camp out till morning. This was wise, because if we were wandering from the right road and the snow-storm continued another day our case would be the next thing to hopeless if we kept on.

All agreed that a camp fire was what would come nearest to saving us, now, and so we set

in die Höhe. Aber das hatten wir nicht bedacht. Stellen Sie sich also vor, welch eisiger Schrecken uns durchfuhr, als uns schließlich spät am Abend klar wurde, daß wir möglicherweise – denn die letzte schwache Spur der Räderfurchen war schon vor langer Zeit vom Schnee begraben worden – jetzt nur eine Allee aus Salbeibüschen entlangritten, meilenweit entfernt von der Straße und ständig weiter von ihr abkommend. Verglichen damit verursacht es sanftes Wohlbehagen, ein Stück Eis den Rücken hinunterrutschen zu fühlen. Urplötzlich geriet unser Blut in Wallung, das eine Stunde lang geschlafen hatte, und ebenso plötzlich befanden sich unsere schlummernden Geistes- und Körperkräfte in Aufruhr. Mit einem Schlag waren wir wach und lebendig – und zudem zitterten und bebten wir vor Entsetzen. Wir hielten sofort an und stiegen ab, beugten uns zu Boden und untersuchten besorgt den Straßengrund. Das war natürlich nutzlos; denn wenn sich eine leichte Vertiefung nicht aus einer Höhe von vier oder fünf Fuß erkennen ließ, so mit Sicherheit nicht, wenn man mit der Nase beinahe dagegen stieß.

Wir schienen uns auf einer Straße zu befinden, aber das war kein Beweis. Wir prüften es, indem wir in verschiedene Richtungen davongingen – die regelmäßigen Schneehügel und die regelmäßigen Alleen zwischen ihnen überzeugten jeden davon, daß er die richtige Straße gefunden hatte und die anderen nur falsche entdeckt hatten. Unsere Lage war offenkundig verzweifelt. Wir waren durchgefroren und steif, und die Pferde waren müde. Wir beschlossen, ein Feuer aus Salbeibüschen aufzuschichten und bis zum Morgen dort zu lagern. Das war weise, denn falls wir uns von der richtigen Straße entfernten und der Schneesturm noch einen weiteren Tag anhielte, würde unser Fall nahezu hoffnungslos sein, wenn wir weiterritten.

Alle waren sich einig, daß ein Lagerfeuer jetzt das war, was unserer Rettung am nächsten käme, und so

about building it. We could find no matches, and so we tried to make shift with the pistols. Not a man in the party had ever tried to do such a thing before, but not a man in the party doubted that it *could* be done, and without any trouble – because every man in the party had read about it in books many a time and had naturally come to believe it, with trusting simplicity, just as he had long ago accepted and believed *that other* common book-fraud about Indians and lost hunters making a fire by rubbing two dry sticks together.

We huddled together on our knees in the deep snow, and the horses put their noses together and bowed their patient heads over us; and while the feathery flakes eddied down and turned us into a group of white statuary, we proceeded with the momentous experiment. We broke twigs from a sage-bush and piled them on a little cleared place in the shelter of our bodies. In the course of ten or fifteen minutes all was ready, and then, while conversation ceased and our pulses beat low with anxious suspense, Ollendorff applied his revolver, pulled the trigger and blew the pile clear out of the country! It was the flattest failure that ever was.

This was distressing, but it paled before a greater horror – the horses were gone! I had been appointed to hold the bridles, but in my absorbing anxiety over the pistol experiment I had unconsciously dropped them

and the released animals had walked off in the storm. It was useless to try to follow them, for their footfalls could make no sound, and one could pass within two yards of the creatures and

machten wir uns daran, es aufzuschichten. Da wir keine Streichhölzer finden konnten, suchten wir uns mit Pistolen zu behelfen. Keiner in der Runde hatte je zuvor sich an so etwas versucht, aber keiner in der Runde zweifelte daran, daß es zu schaffen war, und zwar ohne Schwierigkeit – denn jeder in der Runde hatte oft in Büchern davon gelesen und dann selbstverständlich daran geglaubt, ebenso wie er vorzeiten mit naivem Vertrauen jenen anderen in Büchern verbreiteten Schwindel übernommen und geglaubt hatte, daß Indianer und verirrte Jäger ein Feuer entfachten, indem sie zwei trockene Stöcke aneinander rieben.

Im tiefen Schnee drängten wir uns auf den Knien aneinander, und die Pferde steckten ihre Nasen zusammen und beugten ihre geduldigen Köpfe über uns; und während die Flocken wie Federn herabwirbelten und uns in eine weiße Skulpturengruppe verwandelten, fuhren wir mit unserem folgenschweren Experiment fort. Wir brachen Zweige von einem Salbeibusch und schichteten sie auf einer kleinen, freigeräumten Stelle im Schutze unserer Körper auf. Nach zehn oder fünfzehn Minuten war alles bereit, und während die Unterhaltung verstummte und unser Herzschlag vor ängstlicher Spannung schwächer wurde, brachte Ollendorff seinen Revolver in Anschlag, drückte ab und fegte den Stapel glatt außer Landes. Es war der größte Fehlschlag, den es je gegeben hat.

Es war niederschmetternd, verlor aber an Bedeutung angesichts eines größeren Schreckens: die Pferde waren fort! Ich hatte die Zügel halten sollen, doch in meiner angespannten Sorge wegen des Pistolenexperiments waren sie mir unbemerkt entglitten, und die freigelassenen Tiere waren im Schneesturm davonspaziert. Es war sinnlos, den Versuch zu machen, ihnen zu folgen, denn ihre Tritte verursachten keinen Laut, und man hätte auf zwei Yard an den Tieren vorübergehen können, ohne sie zu sehen. Wir gaben

never see them. We gave them up without an effort at recovering them, and cursed the lying books that said horses would stay by their masters for protection and companionship in a distressful time like ours.

We were miserable enough, before; we felt still more forlorn, now. Patiently, but with blighted hope, we broke more sticks and piled them, and once more the Prussian shot them into annihilation. Plainly, to light a fire with a pistol was an art requiring practice and experience, and the middle of a desert at midnight in a snow-storm was not a good place or time for the acquiring of the accomplishment. We gave it up and tried the other. Each man took a couple of sticks and fell to chafing them together. At the end of half an hour we were thoroughly chilled, and so were the sticks. We bitterly execrated the Indians, the hunters and the books that had betrayed us with the silly device, and wondered dismally what was next to be done. At this critical moment Mr. Ballou fished out four matches from the rubbish of an overlooked pocket. To have found four gold bars would have seemed poor and cheap good luck compared to this. One cannot think how good a match looks under such circumstances – or how lovable and precious, and sacredly beautiful to the eye. This time we gathered sticks with high hopes; and when Mr. Ballou prepared to light the first match, there was an amount of interest centred upon him that pages of writing could not describe. The match burned hopefully a moment, and then went out. It could not have carried more regret with it if it had been a human life. The next match simply flashed and died. The wind puffed the

sie auf, ohne uns darum zu bemühen, sie einzufangen, und verfluchten die lügnerischen Bücher, in denen stand, daß Pferde in einer so verzweifelten Lage wie unserer an der Seite ihrer Herren zu bleiben pflegen, weil sie Schutz und Kameradschaft suchen.

Zuvor war uns elend genug gewesen; jetzt fühlten wir uns noch verlorener. Beharrlich, aber mit zerstörter Hoffnung brachen wir weitere Zweige ab und schichteten sie auf, und noch einmal schoß der Preuße sie in alle vier Winde. Mit einer Pistole ein Feuer zu entzünden war offensichtlich eine Kunst, die Übung und Erfahrung erforderte, und die Mitte einer Wüste während eines Schneesturms um Mitternacht war kein guter Ort und kein guter Zeitpunkt, um diese Fertigkeit zu erwerben. Wir gaben auf und probierten die andere. Jedermann nahm zwei Stöcke und begann, sie aneinander zu reiben. Nach einer halben Stunde waren wir starr vor Kälte und die Stöcke ebenfalls. Voller Bitterkeit verfluchten wir die Indianer, die Jäger und die Bücher, die uns mit diesem törichten Vorhaben betrogen hatten, und fragten uns niedergeschlagen, was als nächstes zu tun war. In diesem kritischen Augenblick förderte Mr. Ballou aus dem Sammelsurium in einer übersehenen Tasche vier Streichhölzer zutage. Vier Goldbarren gefunden zu haben wäre uns im Vergleich damit als armseliges und billiges Glück erschienen. Man kann sich nicht vorstellen, wie fabelhaft ein Streichholz unter solchen Umständen aussieht – oder wie liebenswert und kostbar, von welch geheiligter Schönheit für das Auge. Dieses Mal sammelten wir voll guten Mutes Zweige; und als sich Mr. Ballou anschickte, das erste Streichholz zu entzünden, konzentrierte sich ein solches Maß an Anteilnahme auf ihn, wie es Seiten voller Worte nicht beschreiben könnten. Das Streichholz brannte einen Augenblick hoffnungsvoll, dann erlosch es. Wäre es ein Menschenleben gewesen – es hätte keinen größeren Schmerz mit sich hinwegnehmen können. Das

third one out just as it was on the imminent verge of success. We gathered together closer than ever, and developed a solicitude that was rapt and painful, as Mr. Ballou scratched our last hope on his leg. It lit, burned blue and sickly, and then budded into a robust flame. Shading it with his hands, the old gentleman bent gradually down and every heart went with him – every body, too, for that matter – and blood and breath stood still. The flame

touched the sticks at last, took gradual hold upon them – hesitated – took a stronger hold – hesitated again – held its breath five heartbreaking seconds, then gave a sort of human gasp and went out.

Nobody said a word for several minutes. It was a solemn sort of silence; even the wind put on a stealthy, sinister quiet, and made no more noise than the falling flakes of snow. Finally a sad-voiced conversation began, and it was soon

nächste Streichholz flammte nur auf und ging aus. Das dritte wurde vom Wind ausgeblasen, gerade als der Erfolg unmittelbar bevorstand. Wir rückten noch dichter zusammen, und schmerzliche Angst überwältigte uns als Mr. Ballou unsere letzte Hoffnung an seinem Bein anstrich. Es zündete, brannte blau und schwach und entwickelte sich zu einer kräftigen Flamme. Indem er sie mit den Händen abschirmte, beugte sich der alte Herr langsam vor, und alle Herzen beugten sich mit ihm – alle Körper übrigens auch – , und Blut und

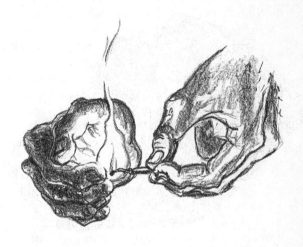

Atem stockten. Die Flamme berührte schließlich die Zweige, ergriff allmählich Besitz von ihnen – zögerte – ergriff stärker Besitz – zögerte wieder – hielt fünf herzzerreißende Sekunden lang den Atem an, stieß dann eine Art menschliches Keuchen aus und erlosch.

Einige Minuten lang sprach niemand ein Wort. Es war eine feierliche Art von Schweigen; selbst der Sturm umgab sich mit einer verstohlenen, unheimlichen Stille und verursachte kein lauteres Geräusch als die fallenden Schneeflocken. Endlich begann eine Unterhaltung

apparent that in each of our hearts lay the conviction that this was our last night with the living. I had so hoped that I was the only one who felt so. When the others calmly acknowledged their conviction, it sounded like the summons itself. Ollendorff said:

"Brothers, let us die together. And let us go without one hard feeling towards each other. Let us forget and forgive bygones. I know that you have felt hard towards me for turning over the canoe, and for knowing too much and leading you round and round in the snow – but I meant well; forgive me. I acknowledge freely that I have had hard feelings against Mr. Ballou for abusing me and calling me a logarythm, which is a thing I do not know what, but no doubt a thing considered disgraceful and unbecoming in America, and it has scarcely been out of my mind and has hurt me a great deal – but let it go; I forgive Mr. Ballou with all my heart, and –"

Poor Ollendorff broke down and the tears came. He was not alone, for I was crying too, and so was Mr. Ballou. Ollendorff got his voice again and forgave me for things I had done and said. Then he got out his bottle of whisky and said that whether he lived or died he would never touch another drop. He said he had given up all hope of life, and although ill-prepared, was ready to submit humbly to his fate; that he wished he could be spared a little longer, not for any selfish reason, but to make a thorough reform in his character, and by devoting himself to helping the poor, nursing the sick, and pleading with the people to guard themselves against the evils of intemperance, make his life a beneficent example to

trauriger Stimmen, und es wurde bald offenbar, daß jeder in seinem Herzen davon überzeugt war, daß dies seine letzte Nacht unter den Lebenden sein würde. Ich hatte so sehr gehofft, daß ich der einzige war, der so empfand. Als die anderen sich ruhig zu ihrer Überzeugung bekannten, klang das wie eine Aufforderung zur Kapitulation. Ollendorff sagte:

«Brüder, laßt uns gemeinsam sterben. Und laßt uns scheiden ohne Groll gegeneinander. Laßt uns Vergangenes vergessen und vergeben. Ich weiß, daß ihr es mir verübelt habt, daß ich das Kanu zum Kentern brachte und immer zuviel wußte und euch im Schnee im Kreis herumführte – aber ich meinte es gut; verzeiht mir. Ich bekenne freimütig, daß ich es Mr. Ballou übelgenommen habe, daß er mich so beleidigt und mich einen Logarythmus genannt hat, was eine Sache ist, die ich nicht kenne, die aber doch zweifellos etwas ist, was in Amerika als schimpflich und ungehörig gilt, und es ist mir kaum aus dem Sinn gegangen und hat mich sehr gekränkt – aber lassen wir das; ich vergebe Mr. Ballou von ganzem Herzen, und –»

Dem armen Ollendorff versagte die Stimme; ihm kamen die Tränen. Es ging ihm nicht allein so, denn ich weinte auch und Mr. Ballou ebenfalls. Ollendorff bekam seine Stimme wieder in die Gewalt und vergab mir Dinge, die ich getan oder gesagt hatte. Dann zog er seine Whiskyflasche heraus und sagte, er würde – sei es im Leben oder im Sterben – keinen Tropfen mehr anrühren. Er sagte, daß er jegliche Hoffnung auf ein Weiterleben aufgegeben habe und, wenngleich schlecht gerüstet, bereit sei, sich demütig in sein Schicksal zu ergeben; daß er wünschte, ein wenig länger am Leben bleiben zu können, nicht aus Selbstsucht, sondern um sein Wesen von Grund auf zu bessern, den Jüngeren mit seinem Leben ein segensreiches Beispiel zu geben, indem er mit Hingabe den Armen half, die Kranken pflegte und die Menschen beschwor, sich vor der elen-

the young, and lay it down at last with the precious reflection that it had not been lived in vain. He ended by saying that his reform should begin at this moment, even here in the presence of death, since no longer time was to be vouchsafed wherein to prosecute it to men's help and benefit – and with that he threw away the bottle of whisky.

Mr. Ballou made remarks of similar purport, and began the reform he could not live to continue, by throwing away the ancient pack of cards that had solaced our captivity during the flood and made it bearable.

He said he never gambled, but still was satisfied that the meddling with cards in any way was immoral and injurious, and no man could be wholly pure and blemishless without eschewing them. "And therefore," continued he, "in doing this act I already feel more in sympathy with that spiritual saturnalia necessary to entire and obsolete reform."

These rolling syllables touched him as no intelligible eloquence could have done, and the old man sobbed with a mournfulness not unmingled with satisfaction.

My own remarks were of the same tenor as those of my comrades, and I know that the feelings that prompted them were heartfelt and sincere. We were all sincere, and all deeply moved and earnest, for we were in the presence of death and without hope. I threw away my pipe, and in doing it felt that at last I was free of a hated vice and one that had ridden me like a tyrant all my days. While I yet talked, the thought of the good I might have done in the world and the still greater good I might *now*

den Trunksucht zu hüten, und endlich sein Leben zu beschließen in dem kostbaren Gedanken, daß es nicht umsonst gelebt worden war. Er schloß mit dem Satz, daß seine Besserung in diesem Augenblick beginnen solle, hier, in der Gegenwart des Todes, weil ihm keine längere Spanne gewährt werden sollte, in der er sie zu Nutz und Frommen der Menschen hätte fortsetzen können – und damit warf er seine Whiskyflasche fort.

Mr. Ballou sprach Worte von ähnlicher Bedeutung und begann die Besserung seines Wesens, die er im Leben nicht weiter vorantreiben konnte, indem er das uralte Kartenspiel fortwarf, das uns in unserer Gefangenschaft während des Hochwassers getröstet und es uns erträglich gemacht hatte. Er sagte, er sei nie dem Glücksspiel nachgegangen, sei aber doch überzeugt, daß es unsittlich und unrecht sei, sich überhaupt mit Karten abzugeben; niemand könne ganz rein und makellos sein, der sich ihrer nicht enthalte. «Und deshalb», fuhr er fort, «fühle ich mich, indem ich diesen Akt vollziehe, bereits stärker in Übereinklang mit den geistigen Saturnalien, die für eine umfassende und obsolete Besserung notwendig sind.» Diese wogenden Worte bewegten ihn, wie keine verständliche Rede es vermocht hätte, und der alte Mann schluchzte aus einer Traurigkeit heraus, die nicht ganz frei von Befriedigung war.

Meine eigenen Worte waren im gleichen Ton gehalten wie die meiner Kameraden, und ich wußte, daß die Gefühle, die ihnen zugrundelagen, herzlich und aufrichtig waren. Wir waren alle aufrichtig, waren alle tief bewegt und ernst, denn der Tod war uns nahe, und es gab keine Hoffnung. Ich warf meine Pfeife weg, und als ich das tat, fühlte ich, daß ich endlich von einem verhaßten Laster frei war, das mich mein Leben lang tyrannisiert hatte. Während ich noch redete, überwältigte mich der Gedanke an das Gute, das ich in der Welt hätte tun können, und wie viel mehr

do, with these new incentives and higher and better aims to guide me if I could only be spared a few years longer, overcame me and the tears came again. We put our arms about each other's necks and awaited the warning drowsiness that precedes death by freezing.

It came stealing over us presently, and then we bade each other a last farewell. A delicious dreaminess wrought its web about my yielding senses, while the snow-flakes wove a winding sheet about my conquered body. Oblivion came. The battle of life was done.

I do not know how long I was in a state of forgetfulness, but it seemed an age. A vague consciousness grew upon me by degrees, and then came a gathering anguish of pain in my limbs and through all my body. I shuddered. The thought flitted through my brain, "this is death – this is the hereafter."

Then came a white upheaval at my side, and a voice said, with bitterness:

"Will some gentleman be so good as to kick me behind?"

It was Ballou – at least it was a towzled snow image in a sitting posture, with Ballou's voice.

I rose up, and there in the gray dawn, not fifteen steps from us, were the frame buildings of a stage station, and under a shed stood our still saddled and bridled horses!

An arched snow-drift broke up, now, and Ollendorff emerged from it, and the three of us sat and stared at the houses without speaking a word. We really had nothing to say. We were like the profane man who could not «do the subject justice", the whole situation was so painfully ridiculous and humiliating that words

Gutes ich jetzt tun könnte, wo neue Triebkräfte und höhere, bessere Ziele mich leiteten, wenn ich nur wenige Jahre noch am Leben bleiben dürfte – und wieder kamen mir die Tränen. Wir legten uns gegenseitig die Arme um den Hals und warteten auf die warnende Schläfrigkeit, die dem Tod durch Erfrieren vorausgeht.

Es dauerte nicht lange, so stahl sie sich über uns, und da entboten wir einander ein letztes Lebewohl. Eine wunderbare Verträumtheit umhüllte meine nachgebenden Sinne, während die Schneeflocken ein gewundenes Laken über meinen besiegten Körper woben. Das Vergessen kam. Die Schlacht des Lebens war geschlagen.

Ich weiß nicht, wie lange ich mich im Zustand der Vergessenheit befand, aber es schien eine Ewigkeit zu sein. Ein undeutliches Bewußtsein ergriff langsam Besitz von mir, und dann fühlte ich eine immer größere Schmerzespein in meinen Gliedern und in meinem ganzen Körper. Ich schauderte. Durch mein Hirn zuckte der Gedanke: «Dies ist der Tod – dies ist das Jenseits.»

Dann hob sich etwas Weißes an meiner Seite empor, und eine bittere Stimme sagte:

«Möchte einer der Herren so gut sein, mir einen Tritt zu geben?»

Es war Ballou – oder jedenfalls eine etwas aus der Ordnung geratene Schnee-Skulptur in sitzender Stellung mit Ballous Stimme.

Ich erhob mich; keine fünfzehn Schritte vor uns sah man im Morgengrauen die hölzernen Gebäude einer Poststation, und unter einem schützenden Dach standen unsere noch gesattelten und gezäumten Pferde.

Jetzt brach eine gewölbte Schneewehe auf, Ollendorff tauchte daraus hervor, und wir drei saßen da und starrten die Häuser an, ohne ein Wort zu sagen. Wir hatten wirklich nichts zu reden. Wir glichen dem Ungläubigen, der einer Sache keine Gerechtigkeit widerfahren lassen kann; die Situation war in so schmerzhafter Weise lächerlich und peinlich, daß Worte keine

were tame and we did not know where to commence anyhow.

The joy in our hearts at our deliverance was poisoned; well-nigh dissipated, indeed. We presently began to grow pettish by degrees, and sullen; and then, angry at each other, angry at ourselves, angry at everything in general, we moodily dusted the snow from our clothing and in unsociable single file plowed our way to the horses, unsaddled them, and sought shelter in the station.

I have scarcely exaggerated a detail of this curious and absurd adventure. It occurred almost exactly as I have stated it.

We actually went into camp in a snow-drift in a desert, at midnight in a storm, forlorn and hopeless, within fifteen steps of a comfortable inn.

For two hours we sat apart in the station and ruminated in disgust. The mystery was gone, now, and it was plain enough why the horses had deserted us. Without a doubt they were under that shed a quarter of a minute after they had left us, and they must have overheard and enjoyed all our confessions and lamentations.

After breakfast we felt better, and the zest of life soon came back. The world looked bright again, and existence was as dear to us as ever. Presently an uneasiness came over me – grew upon me – assailed me without ceasing. Alas, my regeneration was not complete – I wanted to smoke! I resisted with all my strength, but the flesh was weak. I wandered away alone and wrestled with myself an hour. I recalled my promises of reform and preached to myself persuasively, upbraidingly, exhaustively. But it

Kraft hatten und wir nicht wußten, wo wir überhaupt beginnen sollten.

Die Freude in unseren Herzen angesichts unserer Errettung war vergiftet, in der Tat nahezu verschwunden. Dann begannen wir allmählich mürrisch und mißmutig zu werden; und endlich klopften wir uns übel gelaunt und voll Zorn aufeinander – auf uns selber und auf die ganze Welt – den Schnee von der Kleidung und bahnten uns, nicht zusammen, sondern einzeln hintereinander einen Weg zu den Pferden, sattelten sie ab und suchten Zuflucht in der Poststation.

Ich habe kaum eine Einzelheit dieses merkwürdigen und absurden Abenteuers übertrieben. Es spielte sich fast genauso ab, wie ich es beschrieben habe. Wir lagerten tatsächlich verloren und ohne Hoffnung während eines mitternächtlichen Schneesturms in einer Schneeverwehung in der Wüste – und nicht einmal fünfzehn Schritte entfernt von einer behaglichen Herberge.

Zwei Stunden lang saß jeder für sich in der Poststation und grübelte angewidert vor sich hin. Das Geheimnisvolle war jetzt verschwunden, und es war völlig klar, warum die Pferde uns untreu geworden waren. Ohne Zweifel waren sie in einer Viertelminute, nachdem sie uns verlassen hatten, unter jenem Dach gewesen, und sie mußten all unsere Bekenntnisse und Klagen genüßlich mitangehört haben.

Nach dem Frühstück ging es uns besser, und bald kehrte die Lebenslust zurück. Die Welt sah wieder hell aus, und unser Leben war uns so lieb wie zuvor. Es dauerte nicht lange, und eine Unruhe überkam mich – wurde stärker – machte mir unaufhörlich zu schaffen. Ach, meine innere Umkehr war nicht vollkommen – ich hatte das Bedürfnis zu rauchen! Ich widerstrebte mit aller Kraft, aber das Fleisch war schwach. Ich ging alleine fort und kämpfte eine Stunde lang mit mir. Ich rief mir meine Besserungs-Gelöbnisse ins Gedächtnis und hielt mir eine bewegende, tadelnde, erschöpfende Predigt.

was all vain, I shortly found myself sneaking among the snow-drifts hunting for my pipe. I discovered it after a considerable search, and crept away to hide myself and enjoy it. I remained behind the barn a good while, asking myself how I would feel if my braver, stronger, truer comrades should catch me in my degradation.

At last I lit the pipe, and no human being can feel meaner and baser than I did then. I was ashamed of being in my own pitiful company. Still dreading discovery, I felt that perhaps the further side of the barn would be somewhat safer, and so I turned the corner. As I turned the one corner, smoking, Ollendorff turned the other with his bottle to his lips, and between us sat unconscious Ballou deep in a game of "solitaire" with the old greasy cards!

Absurdity could go no farther. We shook hands and agreed to say no more about "reform" and "examples to the rising generation."

Aber es war alles vergeblich, bald entdeckte ich mich dabei, wie ich zwischen den Schneewehen herumschlich, um meine Pfeife aufzustöbern. Nach langem Suchen fand ich sie und stahl mich davon, um mich im Verborgenen an ihr zu erfreuen. Eine gute Weile blieb ich hinter der Scheune und fragte mich, wie mir zumute sein würde, wenn mich meine kühneren, stärkeren, ehrlicheren Kameraden in meiner Erniedrigung ertappten. Zuletzt zündete ich die Pfeife an, und kein menschliches Wesen kann sich gemeiner und niedriger vorkommen als ich damals. Ich schämte mich meiner eigenen erbärmlichen Gesellschaft. Da ich immer noch fürchtete, entdeckt zu werden, hatte ich das Gefühl, daß die entferntere Seite der Scheune vielleicht etwas sicherer sei, und ging deshalb um die Ecke. Während ich um die eine Ecke kam, rauchend, kam Ollendorff um die andere Ecke, mit der Flasche an den Lippen, und zwischen uns saß Ballou, selbstvergessen in ein «Solitaire»-Spiel mit den alten, schmierigen Karten vertieft.

Weiter konnte die Absurdität nicht gehen. Wir gaben uns die Hand und kamen überein, nicht weiter von «Besserung» und von «Beispielen für die kommende Generation» zu reden.

Once there was a good little boy by the name of Jacob Blivens. He always obeyed his parents, no matter how absurd and unreasonable their demands were; and he always learned his book, and never was late at Sabbath-school. He would not play hookey, even when his sober judgment told him it was the most profitable thing he could do. None of the other boys could ever make that boy out, he acted so strangely. He wouldn't lie, no matter how convenient it was. He just said it was wrong to lie, and that was sufficient for him. And he was so honest that he was simply ridiculous. The curious ways that that Jacob had, surpassed everything. He wouldn't play marbles on Sunday, he wouldn't rob birds'nests, he wouldn't give hot pennies to organ-grinders' monkeys; he didn't seem to take any interest in any kind of rational amusement. So the other boys used to try to reason it out and come to an understanding of him, but they couldn't arrive at any satisfactory conclusion. They could only figure out a sort of vague idea that he was "afflicted", and so they took him under their protection, and never allowed any harm to come to him.

This good little boy read all the Sunday-school books; they were his greatest delight. This was the whole secret of it. He believed in the good little boys they put in the Sunday-school books; he had every confidence in them. He longed to come across one of them alive once; but he never did. They all died before his time, maybe. Whenever he read about a particularly good one he turned over quickly to the end

Geschichte vom guten kleinen Jungen

Es war einmal ein guter kleiner Junge namens Jacob Blivens. Stets gehorchte er seinen Eltern, wie abwegig und unvernünftig ihre Befehle auch sein mochten. Er lernte immer seine Bibelsprüche und kam nie zu spät zur Sonntagsschule. Er schwänzte nie, selbst wenn ihm sein nüchterner Verstand sagte, daß es das Nützlichste war, was er tun konnte. Keiner der anderen Jungen konnte ihn jemals verstehen, er benahm sich so sonderbar. Er log nie, wenn es auch noch so praktisch gewesen wäre. Er sagte nur, es sei unrecht zu lügen, und das genügte ihm. Und er war so ehrlich, daß er einfach komisch wirkte. Das merkwürdige Verhalten dieses Jacob übertraf alles. Nie hätte er am Sonntag Murmeln gespielt, nie hätte er Vogelnester geplündert oder dem Äffchen des Drehorgelmannes glühende Pfennige gegeben. Er schien sich überhaupt nicht für irgendeine Art von vernünftigem Zeitvertreib zu interessieren. Deshalb waren die übrigen Jungen ständig bemüht, den Grund dafür herauszubekommen und Jacob Blivens zu verstehen, doch sie konnten zu keiner befriedigenden Lösung gelangen. Sie konnten sich nur ganz ungefähr denken, daß er so etwas wie «krank» sein müsse, und deshalb nahmen sie ihn unter ihren Schutz und ließen niemals zu, daß ihm etwas Böses widerfuhr.

Dieser gute kleine Junge las alle Bücher der Sonntagsschule; sie waren seine größte Freude. Das war das ganze Geheimnis. Er glaubte an die guten kleinen Jungen, von denen in den Büchern der Sonntagsschule erzählt wurde; er hatte volles Vertrauen zu ihnen. Er wünschte sich, einem von ihnen einmal in Wirklichkeit zu begegnen, aber es kam nie dazu. Vielleicht waren sie schon alle vor seiner Zeit gestorben. Immer wenn er etwas über einen besonders guten Jungen las, schaute

to see what became of him, because he wanted to travel thousands of miles and gaze on him; but it wasn't any use; that good little boy always died in the last chapter, and there was a picture of the funeral, with all his relations and the Sunday-school children standing around the grave in pantaloons that were too short, and bonnets that were too large, and everybody crying into handkerchiefs that had as much as a yard and a half of stuff in them. He was always headed off in this way. He never could see one of those good little boys on account of his always dying in the last chapter.

Jacob had a noble ambition to be put in a Sunday-school book. He wanted to be put in, with pictures representing him gloriously declining to lie to his mother, and her weeping for joy about it; and pictures representing him standing on the doorstep giving a penny to a poor beggar-woman with six children, and telling her to spend it freely, but not to be extravagant, because extravagance is a sin; and pictures of him magnanimously refusing to tell on the bad boy who always lay in wait for him around the corner as he came from school, and welted him over the head with a lath, and then chased him home, saying, "Hi! hi!" as he proceeded. That was the ambition of young Jacob Blivens. He wished to be put in a Sunday-school book. It made him feel a little uncomfortable sometimes when he reflected that the good little boys always died. He loved to live, you know, and this was the most unpleasant feature about being a Sunday-school-book boy. He knew it was not healthy to be good. He knew it was more fatal than consumption to be so supernaturally good as the

er schnell am Schluß nach, was aus ihm geworden war; denn er wollte gerne viele tausend Meilen reisen und ihn anstaunen. Aber es war zwecklos; der gute Junge starb immer im letzten Kapitel, und es war ein Bild von der Beerdigung zu sehen mit allen seinen Angehörigen und mit den Kindern der Sonntagsschule, die in zu kurzen Hosen und mit zu großen Kappen um das Grab herum standen, und alle weinten in Taschentücher, die aus etwa anderthalb Metern Stoff gearbeitet waren. So wurde er immer wieder enttäuscht. Nie bekam er einen dieser guten kleinen Jungen zu sehen, einfach deshalb, weil sie immer im letzten Kapitel starben.

Jacob hatte das edle Bestreben, in ein Sonntagsschulbuch aufgenommen zu werden, mit Bildern, auf denen er zu sehen war, wie er sich in rühmlicher Weise weigerte, seine Mutter anzulügen, und wie sie vor Freude darüber weinte; und mit anderen Bildern, die ihn zeigten, wie er an der Tür einem armen Bettelweib mit sechs Kindern einen Penny gab und ihr sagte, sie könne sich dafür kaufen, was sie wolle, dürfe jedoch nicht verschwenderisch damit umgehen, weil Verschwendung eine Sünde sei; und mit wieder anderen Bildern, die ihn zeigten, wie er es großmütig ablehnte, den bösen Jungen zu verpetzen, der immer an der Ecke auf ihn lauerte, wenn er aus der Schule kam, der ihn mit einer Latte über den Kopf schlug und ihn dann nach Hause jagte, wobei er «Ha, ha!» hinter ihm her rief. Das war der Wunschtraum des kleinen Jacob Blivens. Er wollte in ein Sonntagsschulbuch aufgenommen werden. Allerdings fühlte er sich manchmal ein wenig unbehaglich, wenn er daran dachte, daß die guten kleinen Jungen immer starben. Er liebte nämlich das Leben, und das war das Unangenehmste, wenn man ein Junge in einem Sonntagsschulbuch war. Er wußte, daß es ungesund war, gut zu sein. Er wußte, daß es tödlicher war als die Schwindsucht, so über alle Maßen

boys in the books were; he knew that none of them had ever been able to stand it long, and it pained him to think that if they put him in a book he wouldn't ever see it, or even if they did get the book out before he died it wouldn't be popular without any picture of his funeral in the back part of it. It couldn't be much of a Sunday-school book that couldn't tell about the advice he gave to the community when he was dying. So at last, of course, he had to make up his mind to do the best he could under the circumstances – to live right, and hang on as long as he could, and have his dying speech all ready when his time came.

But somehow nothing ever went right with this good little boy; nothing ever turned out with him the way it turned out with the good little boys in the books. They always had a good time, and the bad boys had the broken legs; but in his case there was a screw loose somewhere, and it all happened just the other way. When he found Jim Blake stealing apples, and went under the tree to read to him about the bad little boy who fell out of a neighbor's apple tree and broke his arm, Jim fell out of the tree, too, but he fell on *him* and broke *his* arm, and Jim wasn't hurt at all. Jacob couldn't understand that. There wasn't anything in the books like it.

And once, when some bad boys pushed a blind man over in the mud, and Jacob ran to help him up and receive his blessing, the blind man did not give him any blessing at all, but whacked him over the head with his stick and said he would like to catch him shoving *him* again, and then pretending to help him up. This

gut zu sein wie die Jungen in den Büchern; er wußte, daß keiner von ihnen es je hatte lange aushalten können. Es schmerzte ihn, wenn er daran dachte, daß er, falls er einmal in einem Buche stehen sollte, es nie erleben würde. Und wenn es etwa doch vor seinem Tode herauskäme, so würde es ohne ein Bild von seiner Beerdigung im letzten Teil doch keinen Erfolg haben. Mit einem Sonntagsschulbuch, das die Ermahnungen, die er kurz vor seinem Tode an die Gemeinde gerichtet haben würde, nicht wiedergab, war wenig Eindruck zu machen. So mußte er sich endlich entschließen, das unter den gegebenen Umständen Beste zu tun: rechtschaffen zu leben, auszuharren, solange er konnte, und seine Sterberede bereit zu haben, wenn seine Zeit gekommen war.

Aber irgendwie wollte diesem guten kleinen Jungen nichts richtig gelingen, es erging ihm nie wie den guten kleinen Jungen in den Büchern. Denen ging es immer gut, und die bösen Jungen hatten die gebrochenen Beine. Aber bei ihm mußte etwas nicht stimmen, es kam alles gerade umgekehrt. Als er Jim Blake beim Äpfelklauen ertappte und unter den Baum ging und ihm von dem bösen kleinen Jungen vorlas, der einmal von Nachbars Apfelbaum gefallen war und sich dabei den Arm gebrochen hatte, da fiel Jim auch vom Baum, aber er fiel auf *ihn* und brach *ihm* den Arm, während er selber, Jim, überhaupt nicht verletzt war. Jacob konnte das nicht begreifen. Es stand nichts dergleichen in den Büchern.

Und einmal, als böse Jungen einen blinden Mann in den Schmutz stießen und Jacob herbeirannte, um ihm aufzuhelfen und seinen Segen zu empfangen, da gab ihm der blinde Mann ganz und gar keinen Segen, sondern haute ihm mit dem Stock über den Kopf und sagte, er solle sich ja nicht nochmal dabei erwischen lassen, daß er ihn zu Boden stieß und dann so tat, als wolle er ihm aufhelfen. Dies stimmte nicht über-

was not in accordance with any of the books. Jacob looked them all over to see.

One thing that Jacob wanted to do was to find a lame dog that hadn't any place to stay, and was hungry and persecuted, and bring him home and pet him and have that dog's imperishable gratitude. And at last he found one and was happy; and he brought him home and fed him, but when he was going to pet him the dog flew at him and tore all the clothes off him except those that were in front, and made a spectacle of him that was astonishing. He examined authorities, but he could not understand the matter. It was of the same breed of dogs that was in the books, but it acted very differently. Whatever this boy did he got into trouble. The very things the boys in the books got rewarded for turned out to be about the most unprofitable things he could invest in.

ein mit irgendeinem seiner Bücher. Jacob sah sie alle danach durch.

Besonders wünschte sich Jacob, einen lahmen Hund zu finden, der kein Zuhause hatte und hungrig und verfolgt war. Er wollte ihn mit heimnehmen, ihn liebevoll behandeln und die immerwährende Dankbarkeit dieses Hundes gewinnen. Schließlich fand er auch einen und war glücklich; er nahm ihn mit heim und fütterte ihn, aber als er ihn streicheln wollte, sprang ihn der Hund an und riß ihm alle Kleider bis auf die vorderen vom Leib und richtete ihn ganz erstaunlich zu. Er durchforschte die Fachliteratur, konnte sich die Sache aber nicht erklären. Der Hund war von derselben Rasse wie die Hunde in den Büchern, doch er benahm sich vollkommen anders. Was der Junge auch tat, er geriet in Schwierigkeiten. Ausgerechnet das, wofür die Jungen in den Büchern belohnt wurden, erwies sich für ihn als das Allerunvorteilhafteste, worauf er sich verlegen konnte.

Once, when he was on his way to Sunday-school, he saw some bad boys starting off pleasuring in a sailboat. He was filled with consternation, because he knew from his reading that the boys who went sailing on Sunday invariably got drowned. So he ran out on a raft to warn them, but a log turned with him and slid him into the river. A man got him out pretty soon, and the doctor pumped the water out of him, and gave him a fresh start with his bellows, but he caught cold and lay sick abed nine weeks. But the most unaccountable thing about it was that the bad boys in the boat had a good time all day, and then reached home alive and well in the most surprising manner. Jacob Blivens said there was nothing like these things in the books. He was perfectly dumfounded.

When he got well he was a little discouraged, but he resolved to keep on trying anyhow. He knew that so far his experiences wouldn't do to go in a book, but he hadn't yet reached the allotted term of life for good little boys, and he hoped to be able to make a record yet if he could hold on till his time was fully up. If everything else failed he had his dying speech to fall back on.

He examined his authorities, and found that it was now time for him to go to sea as a cabin-boy. He called on a ship-captain and made his application, and when the captain asked for his recommendations he proudly drew out a tract and pointed to the word, "To Jacob Blivens, from his affectionate teacher." But the captain was a coarse, vulgar man, and he said, "Oh, that be blowed!" *That* wasn't any proof that he knew how to wash dishes or handle a

Einmal, als er sich auf dem Wege zur Sonntagsschule befand, sah er, wie einige böse Jungen mit einem Segelboot zu einer lustigen Fahrt aufbrachen. Bestürzung überkam ihn, denn er hatte gelesen, daß Jungen, die am Sonntag segeln gingen, unweigerlich ertranken. Also fuhr er auf einem Floß hinaus; um sie zu warnen, doch ein Baumstamm drehte sich unter ihm, so daß er abrutschte und ins Wasser fiel. Ein Mann zog ihn zwar ziemlich bald heraus, und der Arzt pumpte das Wasser aus ihm heraus und brachte seine Lungen wieder in Gang, doch er erkältete sich und lag neun Wochen krank zu Bett. Aber das Seltsamste daran war, daß es den bösen Jungen im Boot den ganzen Tag über gut ging und daß sie erstaunlicherweise heil und gesund wiederkehrten. Jacob Blivens sagte, daß nichts dergleichen in den Büchern stehe. Er war völlig verwirrt.

Als er wieder gesund war, war er ein wenig entmutigt, doch beschloß er, es trotzdem weiter zu versuchen. Er wußte, bis jetzt reichten seine Taten noch nicht aus, um in einem Buch zu stehen. Aber er hatte auch noch nicht die einem guten Jungen zugemessene Lebenszeit erreicht und hoffte, noch eine Ruhmesliste zustandebringen zu können, wenn er nur durchhielte, bis seine Zeit erfüllt war. Wenn alles andere schiefgehen sollte, so hatte er immer noch seine Sterberede, auf die er zurückkommen konnte.

Er forschte in seinen klugen Büchern und entdeckte, es sei nun an der Zeit für ihn, als Kabinensteward zur See zu gehen. Er meldete sich bei einem Schiffskapitän und trug ihm seine Bewerbung vor. Und als ihn der Kapitän nach seinen Empfehlungen fragte, zog er stolz ein Traktat hervor und deutete auf die Worte: «Jacob Blivens von seinem ihn liebenden Lehrer gewidmet». Der Kapitän jedoch war ein grober, gewöhnlicher Mann und sagte: «Ah, zum Teufel damit!» Das sei noch kein Beweis, daß er Geschirr abwaschen oder mit dem Fettkübel umgehen könne, und er schätzte, er könne ihn

slush-bucket, and he guessed he didn't want him. This was altogether the most extraordinary thing that ever happened to Jacob in all his life. A compliment from a teacher, on a tract, had never failed to move the tenderest emotions of ship-captains, and open the way to all offices of honor and profit in their gift – it never had in any book that ever *he* had read. He could hardly believe his senses.

This boy always had a hard time of it. Nothing ever came out according to the authorities with him. At last, one day, when he was around hunting up bad little boys to admonish, he found a lot of them in the old iron-foundry fixing up a little joke on fourteen or fifteen dogs, which they had tied together in long procession, and were going to ornament with empty nitroglycerin cans made fast to their tails. Jacob's heart was touched. He sat down on one of those cans (for he never minded grease when duty was before him), and he took hold of the foremost dog by the collar, and turned his reproving eye upon wicked Tom Jones.

But just at that moment Alderman McWelter, full of wrath, stepped in. All the bad boys ran away, but Jacob Blivens rose in conscious innocence and began one of those stately little Sunday-school-book speeches which always commence with "Oh, sir!" in dead opposition to the fact that no boy, good or bad, ever starts a remark with "Oh, sir." But the alderman never waited to hear the rest. He took Jacob Blivens by the ear and turned him around, and hit him a whack in the rear with the flat of his hand; and in an instant that good little boy shot out through the roof and soared away toward the sun, with the fragments of those fifteen

nicht brauchen. Dies war nun doch das Ungewöhnlichste, was Jacob in seinem ganzen Leben je vorgekommen war. Die Widmung eines Lehrers auf einem erbaulichen Buch hatte noch nie ihre Wirkung auf die zartesten Gefühle von Schiffskapitänen verfehlt und stets den Weg zu allen ehrenvollen und einträglichen Posten geebnet, die sie zu vergeben hatten. In keinem der Bücher, die er gelesen hatte, war das anders gewesen. Er zweifelte fast an seinem Verstande.

Dieser Junge hatte es immer schwer. Niemals ging etwas bei ihm so aus wie in den klugen Büchern. Als er schließlich eines Tages nach bösen kleinen Jungen fahndete, um sie zu ermahnen, fand er eine ganze Anzahl von ihnen in einer alten Eisengießerei, wie sie vierzehn oder fünfzehn Hunden, die sie in langer Reihe aneinandergebunden hatten, zum Spaß leere Nitroglyzerindosen an den Schwänzen befestigten. Jacobs Herz wurde von Mitleid gerührt. Er setzte sich auf eine dieser Dosen (denn er hatte keine Angst, sich schmutzig zu machen, wenn es eine Pflicht zu erfüllen galt), faßte den vordersten Hund am Halsband und richtete seinen vorwurfsvollen Blick auf den bösen Tom Jones.

Aber gerade in diesem Augenblick trat voll Zorn der Ratsherr McWelter herein. Alle bösen Jungen rannten weg. Doch Jacob Blivens erhob sich mit überzeugter Unschuld und begann eine jener würdevollen kurzen Sonntagsschulbuch-Ansprachen, die immer mit «Oh, Herr» anfangen, was in krassem Widerspruch zu der Tatsache steht, daß kein Junge, ob gut oder böse, je eine Bemerkung mit «Oh, Herr» beginnen würde. Aber der Stadtrat wartete gar nicht erst den Schluß ab. Er nahm Jacob Blivens beim Ohr, drehte ihn um und versetzte ihm mit der flachen Hand einen Schlag auf die Rückseite; und augenblicklich schoß der gute kleine Junge durch das Dach und flog davon, der Sonne entgegen, und die Überreste der fünfzehn Hunde zogen

dogs stringing after him like the tail of a kite. And there wasn't a sign of that alderman or that old iron-foundry left on the face of the earth; and, as for young Jacob Blivens, he never got a chance to make his last dying speech after all his trouble fixing it up, unless he made it to the birds;

because, although the bulk of him came down all right in a tree-top in an adjoining county, the rest of him was apportioned around among four townships, and so they had to hold five inquests on him to find out whether he was dead or not, and how it occurred. You never saw a boy scattered so.

Thus perished the good little boy who did the best he could, but didn't come out according to the books. Every boy who ever did as he did prospered except him. His case is truly remarkable. It will probably never be accounted for.

This glycerin catastrophe is borrowed from a floating newspaper item, whose author's name I would give if I knew it.   M.T.

hinter ihm her wie der Schwanz eines Drachens. Und nicht eine Spur von dem Ratsherrn oder von der alten Eisengießerei blieb auf der Erde zurück. Und was den jungen Jacob Blivens betrifft: Es ist ihm nie vergönnt worden, seine Sterberede zu halten, die abzufassen ihn so viel Mühe gekostet hatte; es sei denn, er hielt sie den Vögeln. Denn das meiste von ihm landete zwar glatt in einem Baumwipfel in einem angrenzenden Kreis, der Rest aber wurde gleichmäßig auf vier Gemeinden verteilt, so daß man fünfmal Leichenschau halten mußte, um herauszukriegen, ob er nun tot war oder nicht, und wie es dazu gekommen war. Nie ist der Körper eines Jungen so zerstreut worden.

So endete der gute kleine Junge, der sein Bestes tat, dem es aber nie so erging wie in den Büchern. Jeder andere Junge, der sich so verhielt wie er, hatte seinen Nutzen davon, nur er nicht. Sein Fall ist wirklich merkwürdig. Wahrscheinlich wird er nie ergründet werden.

Diese Nitroglyzerin-Katastrophe ist einer damals verbreiteten Zeitungsnotiz entnommen. Wenn ich den Verfasser wüßte, würde ich ihn nennen.   *M.T.*

It was a time of great and exalting excitement. The country was up in arms, the war was on, in every breast burned the holy fire of patriotism; the drums were beating, the bands playing, the toy pistols popping, the bunched firecrackers hissing and spluttering; on every hand and far down the receding and fading spread of roofs and balconies a fluttering wilderness of flags flashed in the sun; daily the young volunteers marched down the wide avenue gay and fine in their new uniforms, the proud fathers and mothers and sisters and sweethearts cheering them with voices choked with happy emotion as they swung by; nightly the packed mass meetings listened, panting, to patriot oratory which stirred the deepest deeps of their hearts, and which they interrupted at briefest intervals with cyclones of applause, the tears running down their cheeks the while; in the churches the pastors preached devotion to flag and country, and invoked the God of Battles, beseeching His aid in our good cause in outpouring of fervid eloquence which moved every listener. It was indeed a glad and gracious time, and the half dozen rash spirits that ventured to disapprove of the war and cast a doubt upon its righteousness straightway got such a stern and angry warning that for their personal safety's sake they quickly shrank out of sight and offended no more in that way.

Sunday morning came – next day the battalions would leave for the front; the church was filled; the volunteers were there, their

Das Kriegsgebet

Es war eine Zeit voll großer und erhebender Aufregung. Das Land hatte zu den Waffen gegriffen, der Krieg war im Gange, in jeder Brust loderte das heilige Feuer der Vaterlandsliebe; die Trommeln dröhnten, die Musikkorps spielten, die Spielzeugpistolen knallten, die gebündelten Knallfrösche zischten und spritzten; auf jeder Seite und so weit, wie sich die immer entfernter werdenden und schließlich verschwimmenden Dächer und Balkone erstreckten, leuchtete ein flatterndes Gewirr von Fahnen in der Sonne auf; jeden Tag marschierten die jungen Freiwilligen die breite Straße hinunter, strahlend schön in ihren neuen Uniformen, und die stolzen Väter und Mütter und Schwestern und Herzallerliebsten jubelten den Vorüberziehenden mit von Freude erstickter Stimme zu; jeden Abend lauschten dichtgedrängte Menschenmengen atemlos vaterländischer Redekunst, die sie im Innersten aufwühlte und die sie in kürzestmöglichen Abständen mit Beifallsstürmen unterbrachen, während Tränen ihnen die Wangen hinabliefen; in den Kirchen predigten die Pastoren Hingabe an Fahne und Vaterland, riefen den Gott der Schlachten an und erflehten seinen Beistand in unserer gerechten Sache mit leidenschaftlich hervorströmender Beredsamkeit, die jeden Zuhörer bewegte. Es war in der Tat eine frohe und gnadenvolle Zeit, und das halbe Dutzend unbedachter Geister, das es wagte, den Krieg zu mißbilligen, und seine Rechtmäßigkeit anzuzweifeln, erhielt unverzüglich eine so strenge und zornige Warnung, daß es um seiner persönlichen Sicherheit willen sich eilig außer Sichtweite begab und auf diese Weise keinen Anstoß mehr erregte.

Der Sonntagmorgen kam – am nächsten Tag sollten die Bataillone an die Front abreisen; die Kirche war voll; die Freiwilligen waren da, und auf ihren jungen Gesich-

young faces alight with martial dreams – visions of the stern advance, the gathering momentum, the rushing charge, the flashing sabers, the flight of the foe, the tumult, the enveloping smoke, the fierce pursuit, the surrender! – them home from the war, bronzed heroes, welcomed, adored, submerged in golden seas of glory! With the volunteers sat their dear ones, proud, happy, and envied by the neighbors and friends who had no sons and brothers to send forth to the field of honor, there to win for the flag, or, failing, die the noblest of noble deaths.

The service proceeded; a war chapter from the Old Testament was read; the first prayer was said; it was followed by an organ burst that shook the building, and with one impulse the house rose, with glowing eyes and beating hearts, and poured out that tremendous invocation –

> "God the all-terrible! Thou who ordainest,
> Thunder thy clarion
> and lightning thy sword!"

Then came the "long" prayer. None could remember the like of it for passionate pleading and moving and beautiful language. The burden of its supplication was, that an ever-merciful and benignant Father of us all would watch over our noble young soldiers, and aid, comfort, and encourage them in their patriotic work; bless them, shield them in the day of battle and the hour of peril, bear them in His mighty hand, make them strong and confident, invincible in the bloody onset; help them to crush the foe, grant to them and to their flag and country imperishable honor and glory –

eyes, in which burned an uncanny light; then in a deep voice he said:

"I come from the Throne – bearing a message from Almighty God!" The words smote the house with a shock; if the stranger perceived it he gave no attention. "He has heard the prayer of His servant your shepherd, and will grant it if such shall be your desire after I, His messenger, shall have explained to you its import – that is to say, its full import. For it is like unto many of the prayers of men, in that it asks for more than he who utters it is aware of – except he pause and think.

"God's servant and yours has prayed his prayer. Has he paused and taken thought? Is it one prayer? No, it is two – one uttered, the other not. Both have reached the ear of Him Who heareth all supplications, the spoken and the unspoken. Ponder this – keep it in mind. If you would beseech a blessing upon yourself, beware! lest without intent you invoke a curse upon a neighbor at the same time. If you pray for the blessing of rain upon your crop which needs it, by that act you are possibly praying for a curse upon some neighbor's crop which may not need rain and can be injured by it.

"You have heard your servant's prayer – the uttered part of it. I am commissioned of God to put into words the other part of it – that part which the pastor – and also you in your hearts – fervently prayed silently. And ignorantly and unthinkingly? God grant that it was so! You heard these words: 'Grant us the victory, O Lord our God!' That is sufficient. The *whole* of the uttered prayer is compact into those pregnant words. Elaborations were

Ein bejahrter Fremdling trat ein und bewegte sich mit langsamen und geräuschlosen Schritten den Mittelgang entlang – seine Augen waren auf den Geistlichen gerichtet, seine hohe Gestalt war in ein Gewand gekleidet, das bis zu den Füßen reichte, sein Haupt war unbedeckt, sein weißes Haar fiel wie ein schäumender Wasserfall auf seine Schultern, und sein gefurchtes Gesicht war unnatürlich bleich – bleich bis zum Geisterhaften. Während aller Augen ihm verwundert folgten, schritt er schweigend voran; ohne innezuhalten, stieg er hinauf an des Geistlichen Seite und stand wartend da. Der Geistliche fuhr mit geschlossenen Augen, ohne sich seiner Gegenwart bewußt zu sein, in seinem bewegenden Gebet fort und endete schließlich mit den in heißem Flehen geäußerten Worten: «Segne unsere Waffen, gewähre uns den Sieg, Herr unser Gott, Vater und Beschützer unseres Landes und unserer Fahne!»

Der Fremde berührte seinen Arm, machte ihm Zeichen, daß er beiseitetreten möge – was der bestürzte Geistliche tat – , und nahm dessen Platz ein. Eine Weile betrachtete er die wie in Bann geschlagene Zu-

An aged stranger entered and moved with slow and noiseless step up the main aisle, his eyes fixed upon the minister, his long body clothed in a robe that reached to his feet, his head bare, his white hair descending in a frothy cataract to his shoulders, his seamy face unnaturally pale, pale even to ghastliness. With all eyes following him and wondering, he made his silent way;

without pausing, he ascended to the preacher's side and stood there, waiting. With shut lids the preacher, unconscious of his presence, continued his moving prayer, and at last finished it with the words, uttered in fervent appeal, "Bless our arms, grant us the victory, O Lord our God, Father and Protector of our land and flag!"

The stranger touched his arm, motioned him to step aside – which the startled minister did – and took his place. During some moments he surveyed the spellbound audience with solemn

tern leuchteten kriegerische Träume – Visionen von unaufhaltsamem Vormarsch, wachsender Stoßkraft, vorwärtsstürmendem Angriff, von blitzenden Säbeln, der Flucht des Feindes, Kampfgetümmel, von alles einhüllendem Rauch und grimmiger Verfolgung, von Kapitulation! – und sie selbst dann aus dem Krieg zurück, gebräunte Helden, willkommen geheißen, angebetet, umflutet von den goldenen Wogen des Ruhms! Bei den Freiwilligen saßen ihre Lieben, stolz, glücklich und beneidet von den Nachbarn und Freunden, die keine Söhne oder Brüder hatten, die sie auf das Feld der Ehre senden konnten, damit sie dort für die Fahne siegten oder, scheiternd, den edelsten der edlen Tode starben. Der Gottesdienst nahm seinen Fortgang; ein Kriegskapitel aus dem Alten Testament wurde gelesen; das erste Gebet wurde gesprochen; ihm folgte ein Ausbruch auf der Orgel, der das Gebäude erschütterte, und in einer einzigen Bewegung erhoben sich alle, mit leuchtenden Augen und klopfenden Herzen, und ließen jene gewaltige Anrufung von ihren Lippen strömen:

«Gott, du allgewaltiger, der du allem gebietest!
Der Donner ist deine Posaune
und der Blitz dein Schwert!»

Dann kam das «lange» Gebet. Niemand konnte sich an ein ähnlich leidenschaftliches Flehen und eine ähnlich bewegende und schöne Sprache erinnern. Der Kern des demütigen Bittens bestand darin, daß unser aller ewiglich gnädiger und gütiger Vater über unsere edlen jungen Soldaten wachen möge und ihnen helfe, sie tröste und ermutige in ihrem vaterländischen Tun; sie segne, sie behüte am Tage des Gefechts und in der Stunde der Gefahr, sie in seiner mächtigen Hand trage, sie stark und zuversichtlich mache, unbesiegbar im blutigen Angriff; ihnen helfe, den Feind zu zermalmen, ihnen und ihrer Fahne und ihrem Land unvergängliche Ehre und unvergänglichen Ruhm gewähre –

hörerschaft mit ernsten Augen, in denen ein unheimliches Licht glomm; dann sagte er mit tiefer Stimme:

«Ich komme vom Thron – und bringe eine Botschaft vom Allmächtigen Gott!» Die Worte trafen die Menschen wie ein Schlag; wenn der Fremde es bemerkte, so schenkte er dem keine Beachtung. «Er hat das Gebet seines Dieners, eures Hirten, vernommen und wird es erhören, wenn das euer Verlangen sein wird, nachdem ich, sein Bote, euch seine Bedeutung erklärt haben werde – das heißt, seine volle Bedeutung. Denn es ähnelt vielen Gebeten der Menschen darin, daß es um mehr bittet, als demjenigen, der es äußert, bewußt ist – wenn er nicht innehält und nachdenkt.

Gottes und euer Diener hat sein Gebet gesprochen. Hat er innegehalten und überlegt? Besteht es aus einem einzigen Gebet? Nein, es besteht aus zweien – das eine wird geäußert, das andere nicht. Beide haben das Ohr dessen erreicht, der alle Bitten hört, die ausgesprochenen und die unausgesprochenen. Bedenket dieses – behaltet es im Gedächtnis. Wenn ihr einen Segen für euch herabflehen wollt, hütet euch – daß ihr nicht, ohne es zu wollen, zur gleichen Zeit einen Fluch auf einen Nachbarn herabbeschwört. Wenn ihr um den Segen des Regens für eure Ernte betet, die ihn braucht, betet ihr durch solches Tun möglicherweise um einen Fluch für die Ernte irgendeines Nachbarn, die vielleicht keinen Regen braucht und unter ihm leidet.

Ihr habt das Gebet eures Dieners gehört – seinen gesprochenen Teil. Ich bin von Gott beauftragt, seinen anderen Teil in Worte zu fassen – jenen Teil, welchen der Pastor – und auch ihr in euren Herzen – mit Inbrunst in der Stille gebetet habt. Und ohne Wissen und Nachdenken? Gott gebe, daß es so war! Ihr hörtet diese Worte: ‹Gewähre uns den Sieg, o Herr unser Gott!› Das genügt. In diesen bedeutungsschweren Worten ist das *ganze* gesprochene Gebet enthalten. Ausführungen waren nicht nötig. Als ihr um den Sieg

not necessary. When you have prayed for victory you have prayed for many unmentioned results which follow victory – *must* follow it, cannot help but follow it. Upon the listening spirit of God the Father fell also the unspoken part of the prayer. He commandeth me to put it into words. Listen!

"O Lord our Father, our young patriots, idols of our hearts, go forth to battle – be Thou near them! With them – in spirit – we also go forth from the sweet peace of our beloved firesides to smite the foe. O Lord our God, help us to tear their soldiers to bloody shreds with our shells; help us to cover their smiling fields with the pale forms of their patriot dead; help us to drown the thunder of the guns with the shrieks of their wounded, writhing in pain; help us to lay waste their humble homes with a hurricane of fire;

help us to wring the hearts of their unoffending widows with unavailing grief; help us to turn them out roofless with their little children to wander unfriended the wastes of their desolated land in rags and hunger and thirst, sports of the sun flames of summer and the icy winds of winter, broken in spirit, worn with travail, imploring Thee for the refuge of the grave and denied it – for our sakes who adore Thee, Lord, blast their hopes, blight their lives, protract their bitter pilgrimage, make heavy their steps, water their way with their tears, stain the white snow with the blood of their wounded feet! We ask it, in the spirit of love, of Him Who is the Source of love, and Who is the ever-faithful refuge and friend of all that are sore beset and seek His aid with humble and contrite hearts. Amen."

gebetet habt, habt ihr um viele unerwähnte Folgen gebetet, die mit dem Sieg verbunden sind – mit ihm verbunden sein *müssen*, gar nicht anders können, als mit ihm verbunden zu sein. Auf den hörenden Geist Gottvaters traf auch der unausgesprochene Teil des Gebets. Er befiehlt mir, ihn in Worte zu fassen. Hört!

‹O Gott unser Vater, unsere jungen Patrioten, Abgötter unserer Herzen, gehen fort zur Schlacht – sei du ihnen nahe! Wir gehen – im Geiste – mit ihnen, fort vom süßen Frieden unseres geliebten häuslichen Herdes, um den Feind zu zerschmettern. O Herr unser Gott, hilf uns, ihre Soldaten mit unseren Granaten in blutige Fetzen zu zerreißen; hilf uns, ihre lächelnden Fluren mit den bleichen Gestalten ihrer vaterlandsliebenden Toten zu bedecken; hilf uns, den Donner der Kanonen mit den Schreien ihrer Verwundeten zu übertönen, die sich vor Schmerzen winden; hilf uns, ihre bescheidenen Wohnstätten mit einem Feuersturm zu vernichten; hilf uns, die Herzen ihrer Witwen, die niemandem ein Leid getan haben, zu zerreißen mit einer Qual, die vergebens ist; hilf uns, sie mit ihren kleinen Kindern obdachlos zu machen, damit sie ohne Freunde, zerlumpt und hungrig und durstig in den Einöden ihres verwüsteten Landes umherirren, ein Spielball der sengenden Sonne im Sommer und der eisigen Winde im Winter; seelisch gebrochen, ausgezehrt von mühevoller Arbeit flehen sie dich an um die Zuflucht des Grabes, die ihnen verweigert wird – um unseretwillen, die wir dich anbeten, Herr, mach ihre Hoffnungen zunichte, zerstöre ihr Leben, verlängere ihre bittere Pilgerschaft, mach ihre Schritte schwer, benetze den Weg mit ihren Tränen, beflecke den weißen Schnee mit dem Blut ihrer wunden Füße! Wir bitten dich darum im Geiste der Liebe, im Geiste dessen, der die Quelle der Liebe ist und die allzeit treue Zuflucht und der Freund aller, die in schmerzlicher Bedrängnis sind und mit demütigem und reuigem Herzen seine Hilfe erflehen. Amen.›

(*After a pause.*) "Ye have prayed it; if ye still desire it, speak! The messenger of the Most High waits."

It was believed afterward that the man was a lunatic, because there was no sense in what he said.

(*Nach einer Pause.*) Ihr habt es gebetet; wenn ihr es immer noch verlangt, sprecht! Der Bote des Allerhöchsten wartet.»

Man war hinterher der Meinung, der Mann sei ein Geisteskranker, weil seine Worte keinerlei Sinn ergaben.

The Man Who Put Up at Gadsby's

When my odd friend Riley and I were newspaper correspondents in Washington, in the winter of '67, we were coming down Pennsylvania Avenue one night, near midnight, in a driving storm of snow, when the flash of a street-lamp fell upon a man who was eagerly tearing along in the opposite direction. This man instantly stopped and exclaimed:

"This is lucky! You are Mr. Riley, ain't you?"

Riley was the most self-possessed and solemnly deliberate person in the republic. He stopped, looked his man over from head to foot, and finally said:

"I am Mr. Riley. Did you happen to be looking for me?"

"That's just what I was doing," said the man, joyously, "and it's the biggest luck in the world that I've found you. My name is Lykins. I'm one of the teachers of the high school – San Francisco. As soon as I heard the San Francisco postmastership was vacant, I made up my mind to get it – and here I am."

"Yes," said Riley, slowly, "as you have remarked. . . Mr. Lykins. . . here you are. And have you got it?"

"Well, not exactly *got* it, but the next thing to it. I've brought a petition, signed by the Superintendent of Public Instruction, and all the teachers, and by more than two hundred other people.

Now I want you, if you'll be so good, to go around with me to the Pacific delegation, for I want to rush this thing through and get along home."

Der Mann, der bei Gadsby abstieg

Im Winter 1867, als mein sonderbarer Freund Riley und ich Zeitungskorrespondenten in Washington waren, kamen wir einmal gegen Mitternacht im Schneesturm die Pennsylvania Avenue entlang, als der Lichtschein einer Straßenlampe auf einen Mann fiel, der ungestüm in die entgegengesetzte Richtung eilte. Der Mann blieb auf der Stelle stehen und rief:

«Das nenne ich Glück! Sie sind doch Mr. Riley, nicht wahr?»

Riley war der Mann mit der größten Selbstbeherrschung und der würdevollsten Besonnenheit in der ganzen Republik. Er blieb stehen, sah sich den Mann von oben bis unten an und sagte schließlich:

«Ich bin Mr. Riley. Waren Sie zufällig auf der Suche nach mir?»

«Genau das war ich», sagte der Mann erfreut, «und es ist das größte Glück von der Welt, daß ich Sie gefunden habe. Mein Name ist Lykins. Ich bin Lehrer an der Mittelschule – in San Francisco. Sobald ich hörte, daß die Postmeisterstelle von San Francisco frei sei, war ich entschlossen, sie zu bekommen – und da bin ich nun.»

«Ja», sagte Riley langsam, «wie Sie ganz richtig bemerkten... Mr. Lykins... da sind Sie nun. Und haben Sie sie bekommen?»

«Nun, nicht gerade *bekommen*, aber ich bin ganz nah dran. Ich habe eine Bittschrift bei mir, vom Superintendenten für das Öffentliche Erziehungswesen, von allen Lehrern und mehr als zweihundert anderen Leuten unterzeichnet. Jetzt möchte ich, daß Sie, wenn Sie so gut sein wollen, mit mir bei der Vertretung der westlichen Küstenstaaten vorbeigehen; denn ich will die Sache schnell erledigen und dann nach Hause fahren.»

"If the matter is so pressing, you will prefer that we visit the delegation to-night," said Riley, in a voice which had nothing mocking in it – to an unaccustomed ear.

"Oh, to-night, by all means! I haven't got any time to fool around. I want their promise before I go to bed – I ain't the talking kind, I'm the *doing* kind!"

"Yes. . . you've come to the right place for that. When did you arrive?"

"Just an hour ago."

"When are you intending to leave?"

"For New York to-morrow evening – San Francisco next morning."

"Just so. . . What are you going to do to-morrow?"

"*Do*! Why, I've got to go to the President with the petition and the delegation, and get the appointment, haven't I?"

"Yes. . . very true. . . that is correct. And then what?"

"Executive session of the Senate at 2 P.M. – got to get the appointment confirmed – I reckon you'll grant that?"

"Yes. . . yes," said Riley, meditatively, "you are right again. Then you take the train for New York in the evening, and the steamer for San Francisco next morning?"

"That's it – that's the way I map it out!"

Riley considered a while, and then said:

"You couldn't stay. . . a day. . . well, say two days longer?"

"Bless your soul, no! It's not my style. I ain't a man to go fooling around – I'm a man that *does* things, I tell you."

The storm was raging, the thick snow blowing in gusts. Riley stood silent, apparently

«Wenn die Sache so dringend ist, wäre es Ihnen wohl lieber, wenn wir noch heute abend die Vertretung aufsuchen würden», sagte Riley mit einer Stimme, die – für ein fremdes Ohr – nichts Spöttisches hatte.

«Oh, heute abend, unbedingt! Ich habe keine Zeit zu vertrödeln. Ich möchte die Zusage haben, noch ehe ich zu Bett gehe – ich bin kein Freund von Worten, ich *handle*!»

«Ja... Da sind Sie richtig hier. Wann sind Sie angekommen?»

«Erst vor einer Stunde.»

«Wann gedenken Sie abzureisen?»

«Nach New York morgen abend – nach San Francisco am folgenden Morgen.»

«Ganz recht... Und was haben Sie sich für morgen zu tun vorgenommen?»

«Zu tun? Nun, ich muß mit der Bittschrift und der Zusage der Vertretung zum Präsidenten und die Ernennung abholen, nicht wahr?»

«Ja... Natürlich... Das ist vollkommen richtig. Und was dann?»

«Exekutivsitzung des Senats um zwei Uhr nachmittags – ich muß mir ja die Ernennung bestätigen lassen. Ich hoffe, Sie werden das zugestehen?»

«Ja. . . Ja», sagte Riley nachdenklich, «Sie haben wieder recht. Und Sie nehmen dann abends den Zug nach New York und am folgenden Morgen den Dampfer nach San Francisco?»

«So ist es – so sieht mein Plan aus!»

Riley überlegte eine Weile und sagte dann:

«Sie könnten nicht... einen Tag... nun, sagen wir, zwei Tage länger bleiben?»

«Wo denken Sie hin, nein! Das ist nicht meine Art. Ich bin kein Mann, der Zeit vertrödelt – ich bin einer, der *handelt*, sage ich Ihnen.»

Der Sturm wütete und trieb dichten Schnee in Stößen vor sich her. Riley blieb eine Minute oder länger

deep in a reverie, during a minute or more, then he looked up and said:

"Have you ever heard about that man who put up at Gadsby's, once?. . . But I see you haven't."

He backed Mr. Lykins against an iron fence, buttonholed him, fastened him with his eye, like the Ancient Mariner, and proceeded to unfold his narrative as placidly and peacefully as if we were all stretched comfortably in a blossomy summer meadow instead of being persecuted by a wintry midnight tempest:

"I will tell you about that man. It was in Jackson's time. Gadsby's was the principal hotel, then. Well, this man arrived from Tennessee about nine o'clock, one morning, with a black coachman and a splendid four-horse car-

stumm, offenbar in Träumerei versunken, dann sah er auf und sagte:

«Haben Sie je von dem Mann gehört, der einmal im Hotel Gadsby abgestiegen ist?... Wie ich sehe, nicht.»

Er drängte Mr. Lykins rücklings gegen einen Eisenzaun, packte ihn am Knopfloch und nagelte ihn fest mit seinem Blick wie der «Alte Seemann» in Coleridges Gedicht. Dann begann er seine Erzählung so gelassen und friedlich auszubreiten, als wären wir nicht von einem mitternächtlichen Wintersturm verfolgt, sondern lägen alle miteinander bequem ausgestreckt auf einer blühenden Sommerwiese.

«Ich will Ihnen von diesem Mann erzählen. Es war zur Zeit des Präsidenten Jackson. Gadsby war damals das erste Hotel am Platze. Also dieser Mann kam eines Morgens gegen neun Uhr aus Tennessee mit einem schwarzen Kutscher, einem prächtigen vierspännigen

riage and an elegant dog, which he was evidently fond and proud of; he drove up before Gadsby's, and the clerk and the landlord and everybody rushed out to take charge of him, but he said, 'Never mind,' and jumped out and told the coachman to wait – said he hadn't time to take anything to eat, he only had a little claim against the government to collect, would run across the way, to the Treasury, and fetch the money, and then get right along back to Tennessee, for he was in considerable of a hurry.

"Well, about eleven o'clock that night he came back and ordered a bed and told them to put the horses up – said he would collect the claim in the morning. This was in January, you understand – January, 1834 – the 3rd of January – Wednesday.

"Well, on the 5th of February, he sold the fine carriage, and bought a cheap second-hand one – said it would answer just as well to take the money home in, and he didn't care for style.

"On the 11th of August he sold a pair of the fine horses – said he'd often thought a pair was better than four, to go over the rough mountain roads with where a body had to be careful about his driving – and there wasn't so much of his claim but he could lug the money home with a pair easy enough.

"On the 13th of December he sold another horse – said two warn't necessary to drag that old light vehicle with – in fact, one could snatch it along faster than was absolutely necessary, now that it was good solid winter weather and the roads in splendid condition.

"On the 17th of February, 1835, he sold the old carriage and bought a cheap second-hand

Wagen und einem edlen Hund, den er offenbar liebte und auf den er stolz war. Er fuhr bei Gadsby vor, und der Geschäftsführer und der Besitzer und alle eilten herzu, um ihm beim Aussteigen behilflich zu sein, aber er sagte: ‹Nicht nötig›, sprang heraus und befahl dem Kutscher, zu warten.

Er sagte, er habe keine Zeit, um etwas zu essen, er müsse nur eine kleine Forderung an die Regierung eintreiben. Er werde gleich über die Straße zum Finanzministerium gehen, das Geld abholen und dann schnurstracks nach Tennessee zurückkehren, denn er befinde sich in beträchtlicher Eile.

Nun, gegen elf Uhr an jenem Abend kam er zurück, bestellte ein Bett und ließ die Pferde in den Stall bringen; er sagte, er werde seine Forderung am nächsten Morgen eintreiben. Das war wohlgemerkt im Januar – Januar 1834 –, am 3. Januar, an einem Mittwoch.

Nun, am 5. Februar verkaufte er seine schöne Kutsche und kaufte eine billige gebrauchte. Er sagte, sie sei ebenso dazu geeignet, das Geld nach Hause zu bringen; er gebe nichts auf äußere Formen.

Am 11. August verkaufte er zwei von den edlen Pferden. Er sagte, er habe schon oft gedacht, daß bei den unebenen Bergstraßen, wo man beim Fahren achtgeben müsse, zwei besser seien als vier – zudem sei die Forderung nicht gar so groß; er könne das Geld auch mit zwei Pferden leicht nach Hause schaffen.

Am 13. Dezember verkaufte er ein weiteres Pferd. Er sagte, zwei seien nicht nötig, um das alte, leichte Fahrzeug zu ziehen – tatsächlich könne eines schneller damit vorankommen als überhaupt nötig sei, jetzt bei dem guten, beständigen Winterwetter, wo die Straßen sich in blendenem Zustand befänden.

Am 17. Februar 1835 verkaufte er die alte Kutsche und kaufte dafür einen leichten, vierrädrigen Wagen, der schon gebraucht und billig war. Er sagte, ein solcher

buggy – said a buggy was just the trick to skim along mushy, slushy early spring roads with, and he had always wanted to try a buggy on those mountain roads, anyway.

"On the 1st of August he sold the buggy and bought the remains of an old sulky – said he just wanted to see those green Tennesse-ans stare and gawk when they saw him come a-ripping along in a sulky – didn't believe they'd ever heard of a sulky in their lives.

"Well, on the 29th of August he sold his colored coachman – said he didn't need a coach-man for a sulky – wouldn't be room enough for two in it anyway –

and, besides, it wasn't every day that Providence sent a man a fool who was willing to pay nine hundred dollars for such a third-rate negro as that – been want-ing to get rid of the creature for years, but didn't like to *throw* him away.

"Eighteen months later – that is to say, on the 15th of February, 1837 – he sold the sulky and bought a saddle – said horseback-riding was what the doctor had always recommended *him* to take, and dog'd if he wanted to risk *his* neck going over those mountain roads on wheels in the dead of winter, not if he knew himself.

"On the 9th of April he sold the saddle – said he wasn't going to risk *his* life with any perishable saddle-girth that ever was made, over a rainy, miry April road, while he could ride bareback and know and feel he was safe – always *had* despised to ride on a saddle, any-way.

"On the 24th of April he sold his horse – said 'I'm just fifty-seven today, hale and hearty – it

Wagen sei gerade richtig, um damit über die aufgeweichten, schmutzigen Straßen im Vorfrühling zu eilen, und er habe sich sowieso schon immer gewünscht, so einen Wagen auf diesen Bergstraßen auszuprobieren.

Am 1. August verkaufte er den Wagen und kaufte dafür die Überreste eines alten zweirädrigen. Er sagte, er wolle nur die erstaunten und dummen Gesichter der Grünschnäbel von Tennessee erleben, wenn sie ihn darin einherjagen sähen – er glaube nicht, daß sie je in ihrem Leben von so einem Wagen gehört hätten.

Nun, am 29. August verkaufte er seinen farbigen Kutscher. Er sagte, er brauche keinen Kutscher für einen zweirädrigen Wagen – es sei ohnehin nicht genug Platz für zwei. Außerdem komme es nicht alle Tage vor, daß einem die Vorsehung einen Dummkopf daherschicke, der bereit sei, neunhundert Dollar für einen solch drittrangigen Neger wie diesen zu bezahlen – er habe sich schon jahrelang gewünscht, den Burschen loszuwerden, habe ihn aber auch nicht *verschleudern* wollen.

Achtzehn Monate später – am 15. Februar 1837 also, verkaufte er den zweirädrigen Wagen und kaufte dafür einen Sattel. Er sagte, Reiten habe ihm der Doktor schon immer empfohlen, und er wolle, verdammt nochmal, sich nicht den Hals brechen, indem er im tiefsten Winter auf Rädern diese Bergstraßen befahre, jedenfalls nicht, solange er bei Verstand sei.

Am 9. April verkaufte er den Sattel. Er sagte, er wolle nicht auf einer vom Regen aufgeweichten, schlammigen Landstraße im April wegen irgendeines beliebigen Sattelgurtes, der schließlich nicht ewig halte, sein Leben aufs Spiel setzen, während er doch ohne Sattel reiten könne, denn dann erst sagten ihm Gefühl und Verstand, daß er wirklich sicher sei. Er habe es ohnehin *immer* verschmäht, mit Sattel zu reiten.

Am 24. April verkaufte er sein Pferd. Er sagte: ‹Ich bin heute genau siebenundfünfzig Jahre alt und gesund

would be a *pretty* howdy-do for me to be wasting such a trip as that and such weather as this, on a horse, when there ain't anything in the world so splendid as a tramp on foot through the fresh spring woods and over the cheery mountains, to a man that *is* a man – and I can make my dog carry my claim in a little bundle, anyway, when it's collected. So to-morrow I'll be up bright and early, make my little old collection, and mosey off to Tennessee, on my own hind legs, with a rousing good-by to Gadsby's.'

"On the 22d of June he sold his dog – said 'Dern a dog, anyway, where you're just starting off on a rattling bully pleasure tramp through the summer woods and hills – perfect nuisance – chases the squirrels, barks at everything, goes a-capering and splattering around in the fords – man can't get any chance to reflect and enjoy nature – and I'd a blamed sight ruther carry the claim myself, it's a mighty sight safer; a dog's mighty uncertain in a financial way – always noticed it – well, *good*-by, boys – last call – I'm off for Tennessee with a good leg and a gay heart, early in the morning.'"

There was a pause and a silence – except the noise of the wind and the pelting snow. Mr. Lykins said, impatiently:

"Well?"

Riley said:

"Well – that was thirty years ago."

"Very well, very well – what of it?"

"I'm great friends with that old patriarch. He comes every evening to tell me good-by. I saw him an hour ago – he's off for Tennessee early to-morrow morning – as usual; said he

und munter – ich wäre schön dumm, wenn ich eine solche Reise und ein solches Wetter mit Reiten verderben würde, wo es für einen *wirklichen* Mann nichts Schöneres auf der Welt gibt, als zu Fuß durch die erfrischenden Frühlingswälder und über die freundlich leuchtenden Berge zu wandern. Außerdem kann ich meinen Hund meine Forderung in einem kleinen Bündel tragen lassen, wenn ich sie eingetrieben habe. Deshalb werde ich morgen frohgemut und früh aufstehen, meine kleine Besorgung erledigen und nach einem gewaltigen Lebewohl für Gadsby auf meinen eigenen Hinterbeinen in Richtung Tennessee spazieren.›

Am 22. Juni verkaufte er seinen Hund. Er sagte: ‹Nichts schlimmer als ein Hund, wenn man zu einem schnellen, herrlichen, vergnüglichen Marsch durch die Sommerwälder und -hügel aufbrechen will – absolut lästig – jagt Eichhörnchen, bellt alles an, springt und plantscht in Flüssen herum.

Da kann ja kein Mensch nachdenken oder die Natur genießen. Und mir ist es verteufelt viel lieber, ich trage das Geld selber, ist sehr viel sicherer so, ein Hund ist mächtig unzuverlässig in finanzieller Hinsicht, das habe ich schon immer bemerkt. Also lebt *wohl*, Jungs, letztes Signal – morgen in der Frühe geht's ab nach Tennessee mit guten Beinen und einem fröhlichen Herzen.›»

Es entstand eine Pause – bis auf das Geräusch des Windes und des dicht fallenden Schnees herrschte Stille. Mr. Lykins sagte ungeduldig:

«Ja und?»

Riley sagte:

«Nun ja – das war vor dreißig Jahren.»

«Schön, schön – aber was soll das heißen?»

«Ich bin mit dem würdigen alten Mann sehr befreundet. Jeden Abend kommt er, um mir Lebewohl zu sagen. Ich habe ihn noch vor einer Stunde gesehen – morgen früh wird er wie gewöhnlich auf dem Weg nach

calculated to get his claim through and be off before night-owls like me have turned out of bed. The tears were in his eyes, he was so glad he was going to see his old Tennessee and his friends once more."

Another silent pause. The stranger broke it:

"Is that all?"

"That is all."

"Well, for the *time* of night, and the *kind* of night, it seems to me the story was full long enough. But what's it all *for*?"

"Oh, nothing in particular."

"Well, where's the point of it?"

"Oh, there isn't any particular point to it. Only, if you are not in *too* much of a hurry to rush off to San Francisco with that post-office appointment, Mr. Lykins, I'd advise you to '*put up at Gadsby's*' for a spell, and take it easy. Good-by. *God* bless you!"

So saying, Riley blandly turned on his heel and left the astonished schoolteacher standing there, a musing and motionless snow image shining in the broad glow of the street-lamp.

He never got that post-office.

Tennessee sein; er sagte, er rechne damit, seine Forderung durchzusetzen und schon fort zu sein, ehe solche Nachteulen wie ich aus dem Bett seien. Die Tränen standen ihm in den Augen; er war so froh, sein altes Tennessee und seine Freunde noch einmal zu sehen.»

Wieder Schweigen. Der Fremde brach es:

«Ist das alles?»

«Das ist alles.»

«Nun, für diese nächtliche *Stunde* und für dieses nächtliche *Wetter* war die Geschichte reichlich lang, scheint mir. Aber was soll das denn alles bedeuten?»

«Oh, nichts Besonderes.»

«Ja, aber wie ist der Zusammenhang?»

«Oh, es gibt keinen bestimmten Zusammenhang. Nur, wenn Sie es nicht gar zu eilig haben, mit dieser Ernennung für die Poststelle nach San Francisco zu kommen, Mr. Lykins, so möchte ich Ihnen raten, für ein Weilchen *bei Gadsby abzusteigen*, und unbesorgt zu sein. Leben Sie wohl. Gott mit Ihnen!»

Indem er das sagte, drehte sich Riley sachte auf dem Absatz herum und ließ den erstaunten Schullehrer stehen, eine nachdenkliche und bewegungslose Schneegestalt, die im breiten Lichtschein der Straßenlaterne leuchtete.

Das Postamt hat er nie bekommen.

Thirty-five years ago I was out prospecting on the Stanislaus, tramping all day long with pick and pan and horn, and washing a hatful of dirt here and there, always expecting to make a rich strike, and never doing it. It was a lovely region, woodsy, balmy, delicious, and had once been populous, long years before, but now the people had vanished and the charming paradise was a solitude.

They went away when the surface diggings gave out. In one place, where a busy little city with banks and newspapers and fire companies and a mayor and aldermen had been, was nothing but a wide expanse of emerald turf, with not even the faintest sign that human life had ever been present there. This was down toward Tuttletown. In the country neighborhood thereabouts, along the dusty roads, one found at intervals the prettiest little cottage homes, snug and cozy, and so cobwebbed with vines snowed thick with roses that the doors and windows were wholly hidden from sight – sign that these were deserted homes, forsaken years ago by defeated and disappointed families who could neither sell them nor give them away.

Now and then, half an hour apart, one came across solitary log cabins of the earliest mining days, built by the first gold-miners, the predecessors of the cottage-builders. In some few cases these cabins were still occupied; and when this was so, you could depend upon it that the occupant was the very pioneer who had built the cabin;

Vor fünfunddreißig Jahren grub ich am Stanislaus nach Gold, wanderte den ganzen Tag mit Hacke, Pfanne und Pulverhorn umher, wusch ab und an eine Handvoll Erde, erwartete ständig, einen reichen Fund zu machen, und tat es doch nie. Es war eine liebliche Gegend, waldig, voller Wohlgerüche und wunderschön, die vor vielen Jahren dicht besiedelt gewesen war; aber jetzt waren die Menschen verschwunden, und das bezaubernde Paradies lag einsam da. Sie waren fortgezogen, als das Schürfen an der Erdoberfläche nichts mehr einbrachte. An einem Ort, wo eine geschäftige kleine Stadt mit Banken und Zeitungen und Feuerwehren und einem Bürgermeister und Ratsherren gestanden hatte, befand sich nur noch eine weite smaragdgrüne Grasfläche, und nicht einmal das kleinste Zeichen wies darauf hin, daß es dort jemals menschliches Leben gegeben hatte. Das war unten in Richtung Tuttletown. In der ländlichen Nachbarschaft jener Gegend traf man entlang der staubigen Straßen hin und wieder auf die schönsten kleinen Häuschen, behaglich und gemütlich, umsponnen von Ranken, die so dicht mit Rosen übersät waren, daß die Türen und Fenster dem Blick ganz und gar verborgen waren – ein Zeichen dafür, daß dieses aufgegebene Wohnstätten waren, die vor Jahren von hoffnungslosen und enttäuschten Familien verlassen worden waren, die sie weder verkaufen noch verschenken konnten. Da und dort, eine halbe Stunde voneinander entfernt, fanden sich einsame Blockhütten aus den frühesten Tagen der Goldgräberei, gebaut von den ersten Goldsuchern, den Vorgängern derer, die die Häuschen gebaut hatten. In einigen wenigen Fällen waren diese Hütten noch bewohnt; wenn es so war, konnte man sich darauf verlassen, daß der Bewohner wirklich der Pionier war, der sie gebaut hatte; und auf noch

and you could depend on another thing, too – that he was there because he had once had his opportunity to go home to the States rich, and had not done it; had rather lost his wealth, and had then in his humiliation resolved to sever all communication with his home relatives and friends, and be to them thenceforth as one dead. Round about California in that day were scattered a host of these living dead men – pride-smitten poor fellows, grizzled and old at forty, whose secret thoughts were made all of regrets and longings – regrets for their wasted lives, and longings to be out of the struggle and done with it all.

It was a lonesome land! Not a sound in all those peaceful expanses of grass and woods but the drowsy hum of insects; no glimpse of man or beast; nothing to keep up your spirits and make you glad to be alive. And so, at last, in the early part of the afternoon, when I caught sight of a human creature, I felt a most grateful uplift.

This person was a man about forty-five years old, and he was standing at the gate of one of those cozy little rose-clad cottages of the sort already referred to. However, this one hadn't a deserted look; it had the look of being lived in and petted and cared for and looked after; and so had its front yard, which was a garden of flowers, abundant, gay, and flourishing. I was invited in, of course, and required to make myself at home – it was the custom of the country.

It was delightful to be in such a place, after long weeks of daily and nightly familiarity with miners' cabins – with all which this implies of dirt floor, never-made beds, tin plates and cups,

etwas konnte man sich verlassen – daß er dort war, weil er einst die Gelegenheit gehabt hatte, reich in die östlichen Staaten zurückzukehren, und es nicht getan hatte, vielmehr seines Reichtums verlustig gegangen war und dann in seiner demütigenden Lage beschlossen hatte, jede Verbindung zu seinen Verwandten und Freunden zuhause abzubrechen und für sie von nun an tot zu sein. Über ganz Kalifornien waren damals Scharen solcher Männer verstreut, die bei lebendigem Leibe tot waren – mit Stolz geschlagene, arme Kerle, die mit vierzig grau und alt waren und deren geheime Gedanken nur aus Reue und Sehnsucht bestanden: Reue über ihr vertanes Leben, Sehnsucht, aus dem Kampf heraus zu sein und alles hinter sich zu haben.

Es war ein verlassenes Land! Kein Geräusch war in diesen ausgedehnten Wiesen und Wäldern zu vernehmen außer dem einschläfernden Summen der Insekten; kein Mensch und kein Tier ließ sich auch nur flüchtig blicken; nichts gab es, das die Lebensgeister gestärkt und einen mit Freude darüber erfüllt hätte, daß man am Leben war. Und deshalb war ich außerordentlich dankbar und in gehobener Stimmung, als ich schließlich eines frühen Nachmittags ein menschliches Wesen zu Gesicht bekam. Es war ein Mann von etwa fünfundvierzig Jahren; er stand an der Pforte zu einem dieser gemütlichen, von Rosen umhüllten Häuschen, die ich vorhin erwähnt habe. Dieses sah jedoch nicht verlassen aus; es sah wie ein Häuschen aus das bewohnt und umsorgt und behütet und gepflegt wird; und so sah auch der Vorplatz aus, der wie ein Garten voll üppig blühender, bunter Blumen war. Ich wurde natürlich hereingebeten und aufgefordert, mich ganz wie zu Hause zu fühlen – so war es in diesem Land Sitte.

Es war herrlich, an einem solchen Ort zu sein – nach den langen Wochen, in denen ich Tag und Nacht nur Goldgräberhütten gewöhnt gewesen war – mit allem, was das bedeutet: Lehmboden, ungemachte Betten,

bacon and beans and black coffee, and nothing of ornament but war pictures from the Eastern illustrated papers tacked to the log walls. That was all hard, cheerless, materialistic desolation, but here was a nest which had aspects to rest the tired eye and refresh that something in one's nature which, after long fasting, recognizes, when confronted by the belongings of art howsoever cheap and modest they may be, that it has unconsciously been famishing and now has found nourishment. I could not have believed that a rag carpet could feast me so, and so content me;

or that there could be such solace to the soul in wall-paper and framed lithographs, and bright-colored tidies and lamp-mats, and Windsor chairs, and varnished what-nots, with sea-shells and books and china vases on them, and the score of little unclassifiable tricks and touches that a woman's hand distributes about a home, which one sees without knowing he sees them, yet would miss in a moment if they were taken away. The delight that was in my heart showed in my face, and the man saw it and was pleased; saw it so plainly that he answered it as if it had been spoken.

"All her work," he said, caressingly; "she did it all herself – every bit," and he took the room in with a glance which was full of affectionate worship. One of those soft Japanese fabrics with which women drape with careful negligence the upper part of a picture-frame was out of adjustment. He noticed it, and rearranged it with cautious pains, stepping back several times to gauge the effect before he got it to suit him. Then he gave it a light finishing pat or two

Zinnteller und Zinnbecher, Speck und Bohnen und schwarzer Kaffee und keinerlei Zierrat außer Kriegsbildern aus illustrierten Zeitungen der Ostküste, die an die Holzwände genagelt waren. Dort gab es nur mühsam zu ertragende, freudlose, auf das Materielle beschränkte Einsamkeit, aber das hier war ein behagliches Heim, dessen Anblick müden Augen wohltut und jenes Etwas in unserem Wesen erquickt, das nach langem Fasten erkennt, daß es – unbewußt – zu verhungern drohte, und nun Nahrung erhält, wenn es sich Kunstgegenständen gegenübersieht – sie mögen so billig und bescheiden sein, wie sie wollen. Ich hätte nicht geglaubt, daß ein Flickenteppich mir eine solche Augenweide bedeuten und mich mit einer solchen Zufriedenheit erfüllen könnte; oder daß ein solcher Seelentrost ausgehen könnte von Tapeten und gerahmten Lithographien, von bunten Schondecken und Lampenuntersetzern, von Windsorstühlen und lackierten Regalen mit Muscheln und Büchern und Porzellanvasen – von jener unnennbaren Vielzahl eigentümlicher Kleinigkeiten, die eine Frauenhand über ein Heim verteilt; man nimmt sie wahr, ohne sich dessen bewußt zu sein, würde sie aber sofort vermissen, wenn sie nicht mehr da wären. Das Entzücken, das ich empfand, zeigte sich auf meinem Gesicht, und der Mann bemerkte es und freute sich darüber; er sah es so deutlich, daß er darauf antwortete, als sei es ausgesprochen worden.

«Das ist alles ihr Werk», sagte er liebevoll, «sie hat alles selbst eingerichtet – jede Kleinigkeit.» Er nahm den Raum mit einem Blick voll zärtlicher Anbetung in sich auf. Eines jener weichen japanischen Tücher, welche die Frauen so sorgsam wie nachlässig um den oberen Teil eines Bilderrahmens drapieren, war in Unordnung geraten; er bemerkte es und gab ihm mit vorsichtigem Bemühen seine Form zurück, indem er einige Male einen Schritt zurückging, um die Wirkung zu begutachten, bis ihm sein Werk zusagte. Dann strich er mit

with his hand, and said: "She always does that. You can't tell just what it lacks, but it does lack something until you've done that – you can see it yourself after it's done, but that is all you know; youlcan't find out the law of it. It's like the finishing pats a mother gives the child's hair after she's got it combed and brushed, I reckon. I've seen her fix all these things so much that I can do them all just her way, though I don't know the law of any of them. But she knows the law. She knows the why and the how both; but I don't know the why; I only know the how."

He took me into a bedroom so that I might wash my hands; such a bedroom as I had not seen for years: white counterpane, white pillows; carpeted floor, papered walls, pictures, dressing-table, with mirror and pin-cushion and dainty toilet things;

and in the corner a washstand, with real china-ware bowl and pitcher, and with soap in a china dish, and on a rack more than a dozen towels – towels too clean and white for one out of practice to use without some vague sense of profanation. So my face spoke again, and he answered with gratified words:

"All her work; she did it all herself – every bit. Nothing here that hasn't felt the touch of her hand. Now you would think – But I mustn't talk so much."

By this time I was wiping my hands and glancing from detail to detail of the room's belongings, as one is apt to do when he is in a new place, where everything he sees is a comfort to his eye and his spirit; and I became conscious, in one of those unaccountable ways,

der Hand zum Abschluß ein- oder zweimal leicht darüber und sagte: «So macht sie es immer. Man kann nicht sagen, was eigentlich fehlt, aber es fehlt etwas, wenn man das nicht getan hat; man sieht es, wenn man es gemacht hat – mehr weiß man nicht; das Gesetz erkennt man nicht. Es ist wohl so, wie wenn eine Mutter zum Abschluß nochmal über das Haar ihres Kindes streicht, nachdem sie es gekämmt und gebürstet hat. Ich habe ihr so oft zugeschaut, wenn sie dies alles ordnet, daß ich es genauso machen kann wie sie, obgleich ich bei keinem das Gesetz kenne. Sie kennt das Gesetz. Sie kennt beides, das Warum und das Wie; ich kenne das Warum nicht, ich kenne nur das Wie.»

Er führte mich in ein Schlafzimmer, damit ich mir die Hände waschen konnte – ein Schlafzimmer, wie ich es seit Jahren nicht mehr gesehen hatte: eine weiße Bettdecke, weiße Kissen, der Boden mit einem Teppich bedeckt, Tapeten an den Wänden, Bilder, ein Frisiertisch mit Spiegel und Nadelkissen und zierlichen Toilettenartikeln; in der Ecke ein Waschtisch mit Schüssel und Kanne aus echtem Porzellan und Seife in einer Porzellanschale und auf einem Gestell mehr als ein Dutzend Handtücher – Handtücher, die so sauber und weiß waren, daß jemand, der aus der Übung war, sie nur mit einem unbestimmten Gefühl der Entweihung benutzen konnte. Deshalb waren meine Blick wiederum beredt, und er antwortete mit freudiger Genugtuung:

«Das ist alles ihr Werk; sie hat alles selbst eingerichtet – jede Kleinigkeit. Hier gibt es nichts, was ihre Hand nicht berührt hätte. Nun würden Sie annehmen – aber ich darf nicht soviel reden.»

Zu diesem Zeitpunkt trocknete ich mir die Hände ab und ließ meine Augen von jedem einzelnen Gegenstand des Raumes zum nächsten wandern, wie man es gern tut, wenn man sich in einer neuen Umgebung befindet, wo alles, was man erblickt, ein Labsal für Auge und Seele ist; und es wurde mir bewußt – auf so eine un-

you know, that there was something there somewhere that the man wanted me to discover for myself. I knew it perfectly, and I knew he was trying to help me by furtive indications with his eye, so I tried hard to get on the right track, being eager to gratify him. I failed several times, as I could see out of the corner of my eye without being told; but at last I knew I must be looking straight at the thing – knew it from the pleasure issuing in invisible waves from him. He broke into a happy laugh, and rubbed his hands together, and cried out:

"That's it! You've found it. I knew you would. It's her picture."

I went to the little black-walnut bracket on the farther wall, and did find there what I had not yet noticed – a daguerreotype-case.

It contained the sweetest girlish face, and the most beautiful, as it seemed to me, that I had ever seen. The man drank the admiration from my face, and was fully satisfied.

"Nineteen her last birthday," he said, as he put the picture back; "and that was the day we were married. When you see her – ah, just wait till you see her!"

"Where is she? When will she be in?"

"Oh, she's away now. She's gone to see her people. They live forty or fifty miles from here. She's been gone two weeks to-day."

"When do you expect her back?"

"This is Wednesday. She'll be back Saturday, in the evening – about nine o'clock, likely."

I felt a sharp sense of disappointment.

"I'm sorry, because I'll be gone then," I said, regretfully.

erklärliche Art und Weise, wissen Sie –, daß dort irgendwo etwas war, von dem der Mann wünschte, daß ich es selber entdecken sollte. Ich wußte das genau, und ich wußte, daß er mir durch verstohlene Winke mit den Augen zu helfen versuchte; deshalb bemühte ich mich nach Kräften, auf die richtige Spur zu kommen – ich wollte ihm gern die Freude machen. Einige Male irrte ich mich, wie ich aus den Augenwinkeln sehen konnte, ohne daß man es mir hätte sagen müssen; aber schließlich wußte ich, daß ich unmittelbar darauf blickte – merkte es an dem Behagen, das in unsichtbaren Wellen von ihm ausstrahlte. Er brach in ein glückliches Lachen aus, rieb sich die Hände und rief:

«Das ist es! Sie haben es entdeckt. Ich wußte, daß Sie es entdecken würden. Es ist ihr Bild.»

Ich trat an die kleine Konsole aus schwarzem Nußbaumholz an der entfernteren Wand und sah dort wirklich etwas, das ich zuvor noch nicht bemerkt hatte – eine Lichtbildhülle. Sie enthielt das lieblichste und, wie mir schien, allerschönste Mädchenantlitz, das ich jemals gesehen hatte. Der Mann sog die Bewunderung von meinem Gesicht in sich ein und war völlig zufriedengestellt.

«Neunzehn Jahre alt an ihrem letzten Geburtstag», sagte er, während er das Bild zurücklegte; «es war der Tag, an dem wir geheiratet haben. Wenn Sie sie sehen – oh, warten Sie nur, bis Sie sie sehen!»

«Wo ist sie? Wann wird sie zu Hause sein?»

«Oh, sie ist zur Zeit nicht da. Sie ist zu ihrer Familie gereist. Die wohnt vierzig oder fünfzig Meilen von hier. Heute vor zwei Wochen ist sie gefahren.»

«Wann erwarten Sie sie zurück?»

«Heute ist Mittwoch. Samstag wird sie zurück sein, am Abend – wahrscheinlich gegen neun Uhr.»

Ich empfand ein heftiges Gefühl der Enttäuschung.

«Das tut mir leid, denn dann werde ich schon fort sein», sagte ich voller Bedauern.

"Gone? No – why should you go? Don't go. She'll be so disappointed."

She would be disappointed – that beautiful creature! If she had said the words herself they could hardly have blessed me more. I was feeling a deep, strong longing to see her – a longing so supplicating, so insistent, that it made me afraid. I said to myself: "I will go straight away from this place, for my peace of mind's sake."

"You see, she likes to have people come and stop with us – people who know things, and can talk – people like you. She delights in it; for she knows – oh, she knows nearly everything herself, and can talk, oh, like a bird – and the books she reads, why, you would be astonished. Don't go; it's only a little while, you know, and she'll be so disappointed."

I heard the words, but hardly noticed them, I was so deep in my thinkings and strugglings. He left me, but I didn't know. Presently he was back, with the picture-case in his hand, and he held it open before me and said:

"There, now, tell her to her face you could have stayed to see her, and you wouldn't."

That second glimpse broke down my good resolution. I would stay and take the risk. That night we smoked the tranquil pipe, and talked till late about various things, but mainly about her; and certainly I had had no such pleasant and restful time for many a day. The Thursday followed and slipped comfortably away. Toward twilight a big miner from three miles away came – one of the grizzled, stranded pioneers – and gave us warm salutation, clothed in grave and sober speech. Then he said:

«Fort sein? Nein – warum denn? Gehen Sie noch nicht. Sie würde sehr enttäuscht sein.»

Sie würde enttäuscht sein – dieses wunderschöne Geschöpf! Hätte sie diese Worte selbst gesprochen, sie hätten mich kaum noch glücklicher machen können. Ich empfand ein tiefes, starkes Verlangen, sie zu sehen – ein Verlangen, das so flehentlich und inständig war, daß ich mich davor fürchtete. Ich sagte mir: «Ich werde diesen Ort unverzüglich verlassen, damit ich bei klarem Verstande bleibe.»

«Sie verstehen – sie hat so gern Leute zu Besuch – Leute, die sich auskennen, die reden können – Leute wie Sie. Daran hat sie größtes Vergnügen; denn sie weiß – ach, sie weiß selbst beinahe alles und kann reden, ach, wie ein Vogel – und die Bücher, die sie liest, also, Sie würden staunen. Gehen Sie noch nicht; es dauert nicht mehr lange, wissen Sie, und sie würde sehr enttäuscht sein.»

Ich hörte die Worte, aber beachtete sie kaum, so tief war ich in Gedanken und innere Kämpfe versunken. Er verließ mich, aber ich nahm es nicht wahr. Nach kurzer Zeit kam er mit der Lichtbildhülle in der Hand zurück, hielt sie mir offen hin und sagte:

«Also, jetzt sagen Sie ihr ins Gesicht, daß Sie hätten bleiben können, um sie zu sehen, und es nicht wollten.»

Dieser zweite kurze Blick ließ meine guten Vorsätze zusammenbrechen. Ich würde bleiben und das Wagnis eingehen. – Am Abend rauchten wir in aller Ruhe eine Pfeife und unterhielten uns bis spät in die Nacht über Verschiedenes, aber hauptsächlich über sie; ganz gewiß hatte ich seit langem keine so angenehme und erholsame Zeit verbracht. Der Donnerstag schloß sich an und ging behaglich vorüber. Als es dämmerte, kam ein breitschultriger Goldgräber, der drei Meilen entfernt wohnte – so ein ergrauter, gestrandeter Pionier –, und begrüßte uns mit großer Herzlichkeit, die in ernste und nüchterne Worte gekleidet war. Dann sagte er:

"I only just dropped over to ask about the little madam, and when is she coming home. Any news from her?"

"Oh yes, a letter. Would you like to hear it, Tom?"

"Well, I should think I would, if you don't mind, Henry!"

Henry got the letter out of his wallet, and said he would skip some of the private phrases, if we were willing; then he went on and read the bulk of it – a loving, sedate, and altogether charming and gracious piece of handiwork, with a postscript full of affectionate regards and messages to Tom, and Joe, and Charley, and other close friends and neighbors.

As the reader finished, he glanced at Tom, and cried out:

"Oho, you're at it again! Take your hands away, and let me see your eyes. You always do that when I read a letter from her. I will write and tell her."

"Oh no, you mustn't, Henry. I'm getting old, you know, and any little disappointment makes me want to cry. I thought she'd be here herself, and now you've got only a letter."

"Well, now, what put that in your head? I thought everybody knew she wasn't coming till Saturday."

"Saturday! Why, come to think, I did know it. I wonder what's the matter with me lately? Certainly I knew it. Ain't we all getting ready for her? Well, I must be going now. But I'll be on hand when she comes, old man!"

Late Friday afternoon another gray veteran tramped over from his cabin a mile or so away, and said the boys wanted to have a little gaiety and a good time Saturday night, if Henry

«Ich bin nur mal herübergekommen, um mich nach der kleinen Madam zu erkundigen und wann sie zurückkehrt. Ist eine Nachricht von ihr gekommen?»

«Ja, ein Brief. Möchtest du gerne wissen, was drin steht, Tom?»

«Also eigentlich schon, wenn es dir nichts ausmacht, Henry.»

Henry nahm den Brief aus seiner Brieftasche und sagte, er werde einige von den persönlichen Sätzen auslassen, wenn es uns recht sei; dann las er uns den Großteil vor – ein liebevolles, gelassenes, ganz bezauberndes und anmutiges kleines Werk, mit einer Nachschrift voller herzlicher Grüße und Botschaften an Tom und Joe und Charley und andere enge Freunde und Nachbarn.

Als der Vorlesende zum Ende kam, blickte er Tom an und rief:

«He, du tust es ja schon wieder! Nimm deine Hände weg und laß mich deine Augen sehen. Immer machst du das, wenn ich einen Brief von ihr vorlese. Ich werde ihr das schreiben.»

«Nein, das darfst du nicht, Henry. Ich werde alt, weißt du, und bei jeder kleinen Enttäuschung kommen mir die Tränen. Ich dachte, sie würde selbst hier sein, und nun hast du nur einen Brief.»

«Aber wie kommst du denn darauf? Ich dachte, jeder weiß, daß sie erst am Samstag zurückkehrt.»

«Samstag! Doch wenn ich darüber nachdenke, habe ich es tatsächlich gewußt. Was ist denn bloß in letzter Zeit mit mir los? Natürlich habe ich es gewußt. Machen wir uns nicht alle für ihre Ankunft fertig? Also, ich muß jetzt gehen. Aber ich werde zur Stelle sein, wenn sie kommt, alter Freund.»

Am späten Freitagnachmittag wanderte ein anderer grauer Veteran von seiner Hütte herüber, die ungefähr eine Meile entfernt war, und sagte, die Jungs würden Samstagabend gern ein bißchen feiern und fröhlich

thought she wouldn't be too tired after her journey to be kept up.

"Tired? She tired! Oh, hear the man! Joe, *you* know she'd sit up six weeks to please any one of you!"

When Joe heard that there was a letter, he asked to have it read, and the loving messages in it for him broke the old fellow all up; but he said he was such an old wreck that *that* would happen to him if she only just mentioned his name. "Lord, we miss her so!" he said.

Saturday afternoon I found I was taking out my watch pretty often. Henry noticed it, and said, with a startled look:

"You don't think she ought to be here so soon, do you?"

I felt caught, and a little embarrassed; but I laughed, and said it was a habit of mine when I was in a state of expectancy. But he didn't seem quite satisfied; and from that time on he began to show uneasiness. Four times he walked me up the road to a point whence we could see a long distance; and there he would stand, shading his eyes with his hand, and looking. Several times he said:

"I'm getting worried, I'm getting right down worried. I know she's not due till about nine o'clock, and yet something seems to be trying to warn me that something's happened. You don't think anything has happened, do you?"

I began to get pretty thoroughly ashamed of him for his childishness; and at last, when he repeated that imploring question still another time, I lost my patience for the moment, and spoke pretty brutally to him. It seemed to

sein, falls Henry nicht meine, daß sie nach der Reise zu müde sein werde, um noch wach zu bleiben.

«Müde? Sie und müde! Hört euch das an! Joe, du weißt doch, daß sie sechs Wochen aufbleiben würde, um irgendeinem von euch eine Freude zu machen!»

Als Joe hörte, daß ein Brief gekommen sei, bat er darum, ihn vorgelesen zu bekommen; die liebevollen Botschaften, die für ihn darin standen, brachten den alten Burschen völlig aus der Fassung; er sagte aber, er sei ein so altes Wrack, daß ihm das auch passiere, wenn sie nur seinen Namen erwähnte. «Hergott, wir vermissen sie so!» sagte er.

Samstagnachmittag stellte ich fest, daß ich ziemlich oft meine Uhr herausholte. Henry bemerkte es und sagte mit erschrockenem Blick:

«Sie glauben doch nicht, daß sie so früh schon hier sein sollte?»

Ich fühlte mich ertappt und ein wenig verlegen; aber ich lachte und sagte, das sei eine Angewohnheit von mir, wenn ich auf irgendetwas wartete. Aber er schien nicht ganz zufriedengestellt; und von dem Zeitpunkt an begann er, unruhig zu werden. Viermal ging er mit mir die Straße hinauf bis zu einem Punkt, von dem aus wir einen weiten Blick hatten; und dort stand er dann, hielt die Hand über die Augen und schaute. Einige Male sagte er:

«Ich fange an, mir Sorgen zu machen; ich fange wirklich an, mir große Sorgen zu machen. Ich weiß, daß ich sie erst ungefähr um neun Uhr erwarten kann, und doch scheint irgendetwas mich zu warnen, daß etwas passiert ist. Sie glauben doch nicht, daß etwas passiert ist, nicht wahr?»

Ich begann mich seiner wegen dieses kindischen Benehmens gründlich zu schämen; und als er diese bittende Frage noch ein weiteres Mal wiederholte, verlor ich schließlich einen Augenblick die Geduld und sagte ihm ziemlich harte Worte. Das schien ihn veräng-

shrivel him up and cow him; and he looked so wounded and so humble after that, that I detested myself for having done the cruel and unnecessary thing. And so I was glad when Charley, another veteran, arrived toward the edge of the evening, and nestled up to Henry to hear the letter read, and talked over the preparations for the welcome. Charley fetched out one hearty speech after another, and did his best to drive away his friend's bodings and apprehensions.

"Anything *happened* to her? Henry, that's pure nonsense. There isn't anything going to happen to her; just make your mind easy as to that. What did the letter say? Said she was well, didn't it? And said she'd be here by nine o'clock, didn't it? Did you ever know her to fail of her word? Why, you know you never did. Well, then, don't you fret; she'll *be* here, and that's absolutely certain, and as sure as you are born. Come, now, let's get to decorating – not much time left."

Pretty soon Tom and Joe arrived, and then all hands set about adorning the house with flowers: Toward nine the three miners said that as they had brought their instruments they might as well tune up, for the boys and girls would soon be arriving now, and hungry for a good, old-fashioned break-down. A fiddle, a banjo, and a clarinet – these were the instruments. The trio took their places side by side, and began to play some rattling dance-music, and beat time with their big boots.

It was getting very close to nine. Henry was standing in the door with his eyes directed up the road, his body swaying to the torture of his mental distress. He had been made to drink

stigt in sich zusammenkriechen zu lassen, und er sah danach so verwundet und unterwürfig aus, daß ich mich wegen meines unnötig grausamen Vorgehens verabscheute. Deshalb war ich froh, als am frühen Abend Charley, ein anderer Veteran, eintraf, es sich neben Henry gemütlich machte, um den Brief anzuhören, und über die Vorbereitungen für den Willkomm sprach. Charley brachte eine herzliche Bemerkung nach der anderen hervor und tat sein Bestes, um die Ahnungen und Befürchtungen seines Freundes zu zerstreuen.

«Ihr etwas passiert? Henry, das ist reiner Blödsinn. Es wird ihr nichts passieren; darüber mach dir mal gar keine Gedanken. Was stand in dem Brief? Daß es ihr gut ging, nicht wahr? Und daß sie gegen neun Uhr hier sein würde, nicht wahr? Hast du jemals erlebt, daß sie nicht Wort gehalten hat? Du weißt doch, daß das nie der Fall war. Na also, mach dir keine Sorgen; sie wird hier sein, das ist vollkommen sicher, so sicher, wie du geboren bist. Komm jetzt, laß uns mit dem Schmücken anfangen – wir haben nicht mehr viel Zeit.»

Kurz darauf trafen Tom und Joe ein, und dann machten sich alle daran, das Haus mit Blumen zu verschönern. Als es auf neun ging, meinten die drei Goldgräber, sie könnten sich, weil sie ihre Instrumente mitgebracht hätten, eigentlich schon mal einspielen, denn die Jungs und Mädels würden nun bald eintreffen und begierig sein auf einen schönen, altmodischen, ausgelassenen Tanz. Eine Fiedel, ein Banjo und eine Klarinette – das waren die Instrumente. Das Trio nahm Seite an Seite Platz, begann, eine lärmende Tanzmusik zu spielen, und klopfte mit den großen Stiefeln den Takt dazu.

Es war nun ganz kurz vor neun Uhr. Henry stand in der Tür, die Augen auf die Straße gerichtet; sein Körper wankte unter der Folter quälender Gedanken. Einige Male schon hatte er auf die Gesundheit und sichere

his wife's health and safety several times, and now Tom shouted:

"All hands stand by! One more drink, and she's here!"

Joe brought the glasses on a waiter, and served the party. I reached for one of the two remaining glasses, but Joe growled, under his breath:

"Drop that! Take the other."

Which I did. Henry was served last. He had hardly swallowed his drink when the clock began to strike. He listened till it finished, his face growing pale and paler, then he said:

"Boys, I'm sick with fear. Help me – I want to lie down!"

They helped him to the sofa. He began to nestle and drowse, but presently spoke like one talking in his sleep, and said: "Did I hear horses' feet? Have they come?"

One of the veterans answered, close to his

Rückkehr seiner Frau trinken müssen, und jetzt rief Tom:

«Alle Mann Achtung! Noch ein Schluck, und sie ist da!»

Joe brachte auf einem Tablett die Gläser und bediente die Gesellschaft. Ich griff nach einem der beiden übriggebliebenen Gläser, aber Joe knurrte mit unterdrückter Stimme:

«Stellen Sie das hin, nehmen Sie das andere!»

Ich tat das. Henry erhielt sein Glas als letzter. Er hatte es kaum geleert, als die Uhr zu schlagen begann. Er lauschte, bis sie aufgehört hatte, und sein Gesicht wurde immer bleicher; dann sagte er:

«Jungs, ich bin krank vor Angst. Helft mir – ich möchte mich hinlegen!»

Sie halfen ihm zum Sofa. Er legte sich zum Schlafen zurecht und schlummerte ein, redete aber gleich darauf wie jemand, der im Schlaf spricht, und sagte: «Habe ich Pferdehufe gehört? Sind sie da?»

Einer der Veteranen antwortete, dicht an seinem

Ohr: «Das war Jimmy Parrish, mit der Nachricht, daß die Gesellschaft aufgehalten wurde; aber sie befinden sich noch etwas entfernt auf der Straße und kommen. Ihr Pferd lahmt, doch in einer halben Stunde wird sie hier sein.»

«Oh, ich bin so dankbar, daß nichts passiert ist!»

Er war eingeschlafen, fast bevor noch die Worte aus seinem Munde waren. Im Nu hatten diese geschickten Männer ihm die Kleider ausgezogen und ihn in seinem Bett zugedeckt, in dem Raum, ich dem ich mir die Hände gewaschen hatte. Sie schlossen die Tür und kamen zurück. Dann schienen sie Anstalten zu treffen, um fortzugehen, aber ich sagte:

«Bitte tun Sie das nicht, meine Herren. Sie kennt mich ja nicht; ich bin ein Fremder.»

Sie blickten sich an. Dann sagte Joe:

«Sie? Die Arme, sie ist seit neunzehn Jahren tot!»

«Tot?»

«Tot oder Schlimmeres. Ein halbes Jahr, nachdem sie geheiratet hatte, besuchte sie ihre Familie, und auf dem Rückweg, an einem Samstagabend, nahmen die Indianer sie gefangen, kaum fünf Meilen von hier, und man hat nie wieder etwas von ihr gehört.»

«Und darüber hat er den Verstand verloren?»

«Keine Stunde war er seitdem mehr normal. Aber schlimm wird es mit ihm nur, wenn diese Zeit des Jahres heranrückt. Dann fangen wir an, mal vorbeizukommen, drei Tage, bevor sie zurückerwartet wird, machen ihm Mut, fragen, ob er von ihr gehört hat; und am Samstag kommen wir alle her und stellen Blumen ins Haus und richten alles her für ein Tänzchen. Seit neunzehn Jahren tun wir das jedes Jahr. Am ersten Samstag waren wir siebenundzwanzig, die Mädels nicht mitgerechnet; jetzt sind wir nur noch drei, und die Mädels sind alle fort. Wir geben ihm ein Schlafmittel, sonst würde er anfangen zu toben; dann geht es ihm wieder ein Jahr lang gut – er glaubt, daß sie bei ihm ist,

till the last three or four days come round; then he begins to look for her, and gets out his poor old letter, and we come and ask him to read it to us. Lord, she was a darling!"

bis die letzten drei oder vier Tage anbrechen; dann fängt er an, auf sie zu warten, holt den armen alten Brief hervor, und wir kommen und fragen, ob er ihn uns vorliest. Herrgott, was war sie für ein liebes Geschöpf!»

Mark Twain, eigentlich Samuel Langhorne Clemens, wurde am 30. November 1835 in Florida (Missouri) geboren. Er wuchs in Hannibal (Missouri) auf, am Mississippi, arbeitete nach dem frühen Tod seines Vaters als Drucker, Flußlotse, Journalist, und wurde seit 1867 als Schriftsteller berühmt und wohlhabend. Er starb am 21. April 1990 in Redding (Connecticut).

Mark Twain – das Pseudonym ist der Lotsenruf «Zwei (Faden Wassertiefe) markieren!» – ist ein Meister der Kurzgeschichte, aber zugleich ein Klassiker des Jugendromans (*The adventures of Tom Sawyer* und *The adventures of Huckleberry Finn*) und des Reiseberichts (*A Tramp Abroad* und *A Connecticut Yankee in King Arthur's court*). Auch ein eigentliches Kinderbuch hat er geschrieben (und seinen beiden Töchtern gewidmet): *The Prince and the Pauper*, eine Art Märchen, in dem Vernunft und guter Wille triumphieren.

Mark Twain ist kein hochartifiziell gestaltender Autor, sondern ein erzählerisches Naturgenie. Seine Wirkung auf die Lesenden wie auf die Schreibenden war enorm; Hemingway sagt, *Huckleberry Finn* sei die Grundlage der gesamten modernen amerikanischen Romanliteratur. Mark Twain hat die gesprochene Sprache der einfachen Menschen in die Literatur eingebracht; er hat es überhaupt mit den Einfachen gehalten. Und er hat einen Humor entwickelt, der viel mehr ist als bloßes Spaßmachen, nämlich die Bewältigung eines tiefsitzenden Pessimismus.

Der gewann freilich zuletzt doch noch die Oberhand über den Autor, der das frische, abenteuerlustige, zuversichtliche Amerika zu repräsentieren schien. Das hat er wahrhaftig auch getan, unvergeßlich, unverlierbar. Aber eben – wir sehen es heute deutlicher als früher – nicht nur.

ear: "It was Jimmy Parrish come to say the party got delayed, but they're right up the road a piece, and coming along. Her horse is lame, but she'll be here in half an hour."

"Oh, I'm *so* thankful nothing has happened!"

He was asleep almost before the words were out of his mouth. In a moment those handy men had his clothes off, and had tucked him into his bed in the chamber where I had washed my hands. They closed the door and came back. Then they seemed preparing to leave; but I said:

"Please don't go, gentlemen. She won't know me, I am a stranger."

They glanced at each other. Then Joe said:

"She? Poor thing, she's been dead nineteen years!"

"Dead?"

"That or worse. She went to see her folks half a year after she was married, and on her way back, on a Saturday evening, the Indians captured her within five miles of this place, and she's never been heard of since."

"And he lost his mind in consequence?"

"Never has been sane on hour since. But he only gets bad when that time of the year comes round. Then we begin to drop in here, three days before she's due, to encourage him up, and ask if he's heard from her, and Saturday we all come and fix up the house with flowers, and get everything ready for a dance. We've done it every year for nineteen years. The first Saturday there was twenty-seven of us, without counting the girls; there's only three of us now, and the girls are all gone. We drug him to sleep, or he would go wild; then he's all right for another year – thinks she's with him